HERAUSGEBERIN JYOTIM

GO! HERZENSBUSINESS

Dein Seelenpfad – die Abkürzung zu deiner erfolgreichen Berufung im Business

13 INSPIRATIONEN VON
JYOTIMA FLAK & DEM LIGHTHOUSE-CLUB

Portraitfoto: Gaby Schütze
Cover, Satz, Illustrationen: JyotiMa Flak
Lektorat: Denise Schäricke

ISBN: 978-3-9821560-1-9

Foto: Gaby Schütze

Für dich,

wenn du bereit bist,
mutig deinen Weg zu gehen.

Sei ein Leuchtturm, kein Teelicht!®

INHALT

ZU GAST IN DER OASE DER SELBSTLIEBE

Ausgeschmückt wurde das Buch mit Zitaten von Mitgliedern der Sei ein Leuchtturm! Community bei Facebook. Komm dazu und wachse mit in deine Sichtbarkeit: www.jyotimaflak.com/gruppe

?
seele

VORSPANN

Eine Seele wollte sich selbstständig machen.

„Doch womit?", fragte sie sich.

„Es gibt so vieles, was ich machen möchte. Es gibt so vieles, was mich ausmacht. Ich werde alles anschauen, was mich beschäftigt. Ich werde mich auf meinen Weg machen, dann werde ich entscheiden", sagte die weise Seele tapfer.

„Folge mir", sprach die Sehnsucht und nahm die Seele an die Hand.

Welchen Pfad nimmst du?
Es gibt so vieles, was dich verwirren kann. Von unten sieht man nicht gut.

Folge dem Licht zum Leuchtturm. Dein Pfad leuchtet. Aber nur mit dem Herzen wirst du ihn sehen. Dort leuchtet das Licht deiner Seele. Hinter allen Erfahrungen, in deinem Kern verborgen, gibt es das Wissen, was du hier auf der Erde planst.

Voll der Plan!

„Klingt irgendwie so mystisch", sagte der Kritiker rechts.
„Verlier dich nicht!", sagte die Angst.
„Achtung vor dem Dickicht deiner Gedanken!"
Die Stimmen in ihrem Kopf wurden lauter.
„Stolpere nicht in das Moor der Zweifel, es ist tückisch!"

„Stopp!", sprach die Seele.
„Ich kenne meinen Weg. Ich werde einfach geradeaus gehen."

Die Sehnsucht seufzte glücklich: „Mach dich auf den Weg, liebe Seele.
Du darfst nicht länger warten. Es warten Menschen auf dich, die dich brauchen.
So lange hast du gezögert. Nun wird es Zeit zu gehen."

Weit hinten sah die Seele den Leuchtturm leuchten. Es wurde dunkel und sein Licht war angegangen. Der Weg schlängelte sich vor ihr in die Tiefe der Landschaft hinein. Sie sah das Moor weiter hinten und die Nebelberge.

Hinter ihr huschte es unheimlich im Gebüsch.

„Nun geh!"

Die Seele blickte noch einmal auf den Leuchtturm, als wolle sie sich ihr Ziel tief ins Herz einprägen.

„Der Weg wird mich führen. Ich werde nicht abweichen. Ich kenne mein Ziel. Je mutiger ich bin, umso schneller werde ich dort ankommen, wo ich hin will."

Sie hatte so viel von den Gefahren gehört, von den Illusionen auf der Erde. Die Menschen verstricken sich in ihren Gedanken. Je tiefer verstrickt, umso länger dauert die Reise. Doch noch niemand war endgültig verloren gegangen. Bislang hatte bisher jeder einmal das Licht gefunden.

„Es ist einfach ein Spiel, das wir hier spielen und nichts ist wirklich real. Ich fokussiere mich einfach auf mein Ziel, bei der Berufung anzukommen."

Nun betrat sie den Weg und war neugierig, was sie alles erleben würde. Plötzlich spürte sie diese tiefe Vorfreude auf die bevorstehenden Erlebnisse und war sogar ein bisschen neugierig auf ihre möglichen Abenteuer.

„Mal sehen, was es hier so gibt."

„Go! Herzensbusiness", sprach die Seele, als ob es ihr neues Mantra war.

Ego
Wüste
?

Liebe
Berufung

Liebe
Punkrak
Innere Stimme

DIE QUELLE DES ICHS

Sie folgte dem Wegweiser, auf dem *Zur inneren Stimme* stand.

„Ich weiß gar nicht wirklich, wer ich bin... Also, let's go", sprach sie fröhlich und kickte einen Stein in die Büsche. Es ertönte ein Rascheln. Eine Eidechse hatte vor Schreck reißaus genommen.

„Wenn ich keine Ahnung habe, wer ich bin, weiß ich auch gar nicht, welches Business ich mal gründen soll", brummelte die kleine Seele vor sich hin.

Ihr Abenteuer begann...

Foto: Claudia Zinserling

SYLVIA REHER Singende Physiotherapeutin

SEELE TRIFFT AUF HERZGESANG. DEIN GEHEIMNIS LIEGT IN DEINEM ICH

Es ist schon spät. Die Sonne ist bereits untergegangen und in der Ferne klingen melodische Töne eines Gesanges, ganz lieblich, ganz fein. Es klingt glücklich und es fühlt sich so an, als wirke es wie Balsam für diese Kinderseele, beruhigend als solle es die nächtlichen Schatten, die Ängste vertreiben. Nur ihre drei Kuscheltiere an ihrer Seite geben ihr ein Gefühl der Stärke. Kimba, der Löwe, ist unerschütterlich, Bimbo, der Affe, ist ein sehr heiterer Geselle, jedoch Muff, ein braunes, zotteliges, felliges, herzensgutes Etwas, braucht viel Zusprache und Wärme. Zusammen mit dem Mond sind sie ein unschlagbares Team.

Neugierig, wer da wohl singt, klopft die Seele leise an und fragt, ob sie sich kurz setzten dürfe, ein wenig verweilen für den Augenblick, pausieren, zuhören. Kraft schöpfend lauscht sie dem lieblichem Kindergesang, welcher scheinbar ohne Ermüdung viele verschiedene Lieder singt, auswendig und unerschöpflich. Das Menschenkind Silva ist überrascht und freut sich sehr über einen begeisterten Zuhörer. Sonst hört ihr niemand zu in den nächtlichen Mondstunden und sie freut sich über diese unerwartete Besucherseele.

Manchmal träumt sie davon, mit und für viele Menschen zu singen. Texte, welche um die Welt gehen und aus dem Herzen gesungen sind, in Erinnerung bleiben. Und wenn dieser Wunsch, diese Sehnsucht zu groß wird, weil es ja nicht geht, reist sie mit ihrer Fantasie zu ihrer inneren Quelle. Dort findet sie die Weite unendlicher Träume, Lichtfreunde und eine Welt voller Möglichkeiten für die Menschen zu singen. Das findet die Besucherseele spannend. Ihre Neugierde ist geweckt. Eine Reise in die inneren Welten. Interessant.

„Seele, möchtest du mich begleiten auf der Reise zu meiner inneren Quelle?"
„Unbedingt", antwortet diese.

„Prima, dann nehme ich dich in meinen Gedanken mit an die Hand. Los gehts. Bist du bereit?"

Zunächst geht es sieben regenbogenfarbene Tonstufen in die Tiefe, wobei bei jeder neuen Stufe tief ein- und ausgeatmet wird und ein anderer Klang erklingt. Mit jeder Stufe fühlt die Seele sich entspannter und ruhiger. Am Fuße der letzten Tonfarbstufen öffnet sich eine automatische, gläserne Tür eines Liftes. Vertrauensvoll treten sie ein. Der Lift schließt sich und beide spüren, wie es weiter in die Tiefe geht. Voller Zuversicht lassen sie sich ein und nach wenigen Augenblicken öffnet sich auch schon die Tür und vor ihren Augen eröffnet sich eine riesengroße, duftende Blumenwiese. Sie spüren das weiche Gras unter ihren nackten Füssen. Es weht ein leichter Wind und der Himmel ist klar und blau.

Sie fühlen sich sofort sicher und geborgen. Hier herrscht friedliches, reges Treiben. Sie hören Vögel zwitschern und Schmetterlinge tanzen. Ein lebhaftes Orchester. Jeder Flügelschlag, ob Surren, Knappern und Knistern, ergibt einen Ton für sich und ist in völliger Harmonie mit allen anderen Tönen.

Wärmende Sonnenstrahlen tanzen auf der Haut und ein leichter Wind säuselt in ihren Haaren. Ein Fluss plätschert dahin. Frieden in absoluter Freiheit. Alle Farben des Farbspektrums sind vertreten. Tiefe und hohe Töne sind zu hören, inspirierende Klänge, welche sich zu einer Melodie verfeinern und vielfach variieren und sich immer wieder neu erfinden. Das Menschenkind sieht die Freude des nächtlichen Besuchers, lässt ihn noch kurz genießen und staunen und zupft der Seele dann am Arm, denn sie möchte ihr unbedingt noch etwas anderes zeigen…

Sie treffen auf einen Wegweiser auf dem steht *Zur Quelle*. Sie folgen dem sandgelbem Weg und auch hier tönt alles auf seine Weise: der Fluss rauscht, der Wind lässt die Blätter der Bäume rascheln, die Lebewesen, jedes für sich, scheinen ihre eigenen Laute zu haben und plötzlich kommt noch ein weiteres, intensives Geräusch hinzu. Und nun sehen sie, dass sie an der Urquelle angekommen sind.

Die Seele staunt über reinstes Wasser, das aus dem alten Felsen sprudelt. Sie nehmen mit der hohlen Hand ein paar Schlucke des klaren Wassers, das so erfrischend gut tut. Silva sagt, dass sie danach immer frei von Traurigkeit, Ängsten und anderen Blockaden wird und pure Lebensfreude, tiefes Glück und Dankbarkeit spürt. Das Urvertrauen stärkt sich, sie schöpft neue Kraft, alles darf fließen.

Die Seele fragt Silva nun etwas, was sie die ganze Zeit schon beschäftigt: „Wie kommt es, dass du dieses starke Bedürfnis nach dem Singen hast?"

„So bin ich und deshalb darf ich mich auch zeigen im Fluss des Lebens. Es will aus mir heraus tönen."

Die Seele zeigt sich sichtlich begeistert und fragt sich, welche Botschaft wohl in ihr schlummert und will dies auch gerne erlernen, vielleicht auch mit einem eigenen Text, einer eigenen Melodie, einer eigenen Form ganz aus dem Herzen.

Mutig fragt die Besucherseele die weise Urquelle wie auch sie diese Freude am Tönen erlangen könne.

„Frage dich, für welche Werte du stehst und habe den Löwenmut, dich auf deiner Lebensbühne zu zeigen mit dem, was du zu sagen, zu zeigen oder zu tun hast. Denn am Anfang stand der erleuchtete Gedanke, das Heureka, die Idee, deine Idee. Strahle diese aus deinem Herzen heraus und fühle es. Am Anfang war das Wort, ein Herzenswort, welches gehört, geliebt und gefühlt werden will. Das Wort heißt Liebe. Bedingungslose Liebe. Es ist kostenlos und es sollte in jedem Herzen zu finden sein, aber manchmal verlegen es die Menschen. Sie suchen dann ihr ganzes Leben nach dem, was ihnen fehlt und suchen es im Außen. Lasse einfach alles Unvollkommene los, denn vollkommen bist du ja schon."

Die Seele bedankt sich sehr und ist nun ganz ungeduldig, sich auf ihren eigenen, inneren Weg zu machen. Sie verspricht es sich selbst: ‚Kein Verschieben mehr, kein Aufgeben, denn das ganze Wissen meines einzigartigen Lebens hat mich für meinen magischen Traum vorbereitet und jetzt unaufhaltbar gemacht.'

Sie bedanken sich herzlichst bei der Urquelle, verweilen noch etwas und machen sich dann wieder langsam und gestärkt auf den Rückweg. Silva sagt, dass sie mit

vielen neuen Klängen, Wörtern und Melodien im Gepäck sich freut, in den nächsten Tagen mit dem Mond und ihren drei Kuschelmusketieren zusammen zu singen, wenn die Besucherseele schon längst weiter gewandert ist.

Doch zunächst geht es den gleichen Weg wieder zurück bis zum Lift, welcher sie geborgen und sicher nach oben führt - energiegeladen und aufgetankt mit Freude, Mut und Stärke. Der Lift öffnet sich und sie steigen Stufe für Stufe mit der Ein- und Ausatmung aufwärts in die äußere Welt zurück. Mit einem neuen Lied im Herzen und auf den Lippen und es scheint, als würde der Mond wissend lächeln und kurz zwinkern. Denn auch er weiß, wie wichtig es ist, aus seinem Innersten heraus glücklich zu strahlen.

Nun heißt es für die Seele Abschied zu nehmen vom Menschenkind Silva, welches ihr Herz tief berührt hat.

„Aber wie entfalte ich meinen einzigartigen Herzsong?", fragt sich die Seele.

Die Seele macht sich mit einem unbekannten neuen Sog von Sehnsucht auf die Suche, jemanden zu finden, der genau das kann und lebt, was die Seele sich auch tief in ihrem Herzen wünscht: frei tönen für und mit Menschen, einen geliebten Freund oder einem Herzenspartner. Ermutigt sucht die Seele im Internet und findet tatsächlich ganz in ihrer Nähe auf einer Homepage die Biographie einer Frau, die diesen langen Weg bis hin zur Erfüllung des Herzenswunsches kennt und gelebt hat. Diese schreibt über sich:

„Der Traum, Musicaldarstellerin zu werden, begann mit 21 Jahren. Doch erst einmal kam es anders. Das Unterbewusstsein erfüllte mir meinen Traum in drei Schritten: nämlich zunächst mit Stepptanz, später mit Gesang, dann mit Theater. Genau in dieser Reihenfolge. Am Ende spielte ich in einem Musicaltheater an der Seite von Profis. Mein Traum wurde wahr."

Sofort meldet die Seele sich an. Juhu, das passt. Töne auch du mit deiner authentischen Stimme und lasse dein Herz sprechen. Finde deine Authentizität.
Liebe Grüße, die Seele.

Kennst du das?

- Du willst dich präsentieren, aber der Selbstzweifel hält dich zurück?
- Du bekommst einen hochroten Kopf, wenn du öffentlich singst oder sprichst?
- Deine Stimme piepst, wenn du aufgeregt bist?

- Oder du hast sogar einen Blackout?
- Du möchtest dich zeigen und hast Angst, dich zu blamieren?

Du möchtest

- auf einer Bühne selbstbewusst stehen, um dich zu präsentieren.
- dich sicher und authentisch zeigen.
- durch innere Stärke, dein Selbstvertrauen fühlen.
- deinen Herzsong schreiben, deine DVD oder dein Video erstellen.

Hier meine Lösung

- Du entwickelst deine individuellen Schlüsselsätze, mit denen du dauerhaft in deine Stärke kommst für herausfordernde Situationen.
- Pro Monat erstellen wir ein Video von dir, um dieses auf einer frei wählbaren Bühne zu präsentieren.
- Du entfaltest deinen einzigartigen Herzsong, denn dein Geheimnis liegt in deinem Ich.

Du willst selbstbewusster werden und deine Stimme sprechen lassen? Gemeinsam lassen wir deine innere Welt nach außen strahlen. Bringe in nur drei Monaten deine authentische, innere Stärke mit kraftvoller und sicherer Stimme auf die Bühne deines Lebens.

Und hier findest du den Kontakt, welchen die Seele im Internet gefunden hat: Vereinbare einfach ein kostenloses Kennenlerngespräch: www.sylvia-reher.de/herzgesang-sing-dein-song

---

Sylvia Reher – Singende Physiotherapeutin mit Herzgesang. Das Singen begleitet sie schon ihr ganzes Leben. Mit 21 Jahren begann sie mit Pantomime und Stepptanz mit ersten Bühnenauftritten. Darauf folgten Gesang mit Chanson, Ensemble, Musicaldarstellung in verschiedensten Rollen. Mit ihrer Erfahrung als Therapeutin kann sie zudem auch Atem- und Körperübungen begleiten, um deine Stimme zu zeigen und selbstbewusster in deinem Leben zu werden. **www.sylvia-reher.de**

---

1 Hol dir ein Geschenk zu diesem Kapitel ab: www.jyotimaflak.com/geschenke

Wenn mein Buch auch nur eine einzige Seele berührt,
hat sich jedes Wort gelohnt, das ich je geschrieben habe.

Antje Grube

Gutes tun, statt nur darüber reden.

Bernd Wenske

Wenn du hinter all den Zweifeln dein Potenzial entdeckst und lebst, beginnt die genialste und glücklichste Zeit deines Lebens.

Dörte Scheffer

HILKE SCHELLENBERG Inner Change Experience® Coach

DIE BEFREIUNG AUS DEM KOKON
DIE SEELE HOLT SICH IHRE LEBENDIGKEIT ZURÜCK

Es ist ein warmer, sonniger Tag. Das Meer rauscht friedlich vor sich hin. Heute ist es ruhig, die Wellen plätschern sanft am flachen, goldenen Sandstrand. Ich sitze entspannt auf der Treppe, die von meinem Garten zum Strand führt, und lasse mich von der angenehm warmen Sonne berühren. Eben noch saß ich in meiner kleinen spanischen Villa und führte ein Videogespräch mit einer meiner wunderbaren Klientinnen.
Während ich nun aufs Meer schaue und seine kraftvolle Energie und die Weite genieße, sehe ich im Augenwinkel von der Seite her, eine junge Frau auf mich zukommen, die mich neugierig und fast ein wenig gehetzt anschaut. Als sie ein paar Meter vor meiner Treppe stehen bleibt, spricht sie mich ohne Umschweife an: „Bist du Hilke? Die Frau, die es geschafft hat, ihre Visionen zu erfüllen und ihr Traumleben zu erschaffen?"

Ich bejahe ihre Frage, die mich sehr erstaunt, denn ich lebe noch nicht lange an der Costa Blanca und bin hier nicht sehr bekannt.

„Ach, das ist schön! Da musste ich ja gar nicht lange suchen."

Jetzt macht sie mich neugierig. Warum hat sie mich gesucht? Als hätte sie meine Gedanken gehört, fährt sie fort:

„Ich bin eine Seele, die auf der Suche nach ihrer Berufung ist. Mir wurde gesagt, ich würde dich hier finden. Du könntest mir sicherlich weiterhelfen."

Aha, wer sie wohl zu mir geführt hat?

„Ja, weißt du, ich stecke gerade ein bisschen fest in meinem Leben, wie so eine

Schmetterlingsraupe in einem Kokon. Ich spüre irgendwie, dass da ganz viel in mir ist, was raus will, was sich zeigen will, aber ich habe so eine Angst davor."

Sie breitet ihre Arme weit aus, als wolle sie mir zeigen, wie riesig ihre Angst sei. „Denn ich fühle mich oft so falsch, so als würde ich gar nicht so recht in diese Welt passen. Manchmal komme ich mir fast vor wie ein Alien."

Ihre Worte berühren mich. Ich habe das Gefühl, als stünde die Frau vor mir, die ich vor etwa zwanzig Jahren war. Eine Frau in den Dreißigern, die gerade auf der Suche ist nach dem Weg, der sie glücklich macht. Nicht mehr am Anfang ihres Lebensweges, sondern mittendrin und doch hat sie das Gefühl, noch ganz am Beginn zu stehen. Oder wieder. Weil der bisherige Weg nicht der richtige war. Weil alles anders lief, als sie es sich einmal gewünscht hatte – als Kind, als sie noch Träume und Visionen hatte. Oder als Jugendliche, als sie ihre Schöpferkraft entdeckte, ihren Mut, als sie ihre Lebendigkeit noch spürte - und insgeheim wusste, dass sie mal richtig groß werden könne. Irgendwann hat sie ihre Träume vergessen und ihre Visionen nicht mehr sehen können, weil sich die Ziele anderer davorgeschoben haben. Irgendwann ist sie in den falschen Zug eingestiegen. Und jetzt weiß sie nicht, wie sie da wieder herauskommen und in den richtigen Zug umsteigen soll. In welchen Zug überhaupt? Und wohin?

„Du kannst mir doch helfen, oder?" Mit dieser Frage reißt mich die Seele abrupt aus meinen Gedanken und Erinnerungen.

„Ich fühle mich oft so leer, so gar nicht mehr lebendig. Und manchmal auch so traurig. Dabei bin ich doch so eine lebensfrohe Seele. Eigentlich. Ich fühle mich so eingeengt in meinem Leben. Ich will da wieder raus! Und ich möchte herausfinden, wer ich bin. Und was ich wirklich will in meinem Leben. Und..."

Sie unterbricht selbst ihren Redefluss, der immer schneller geworden ist. Mit großen Augen schaut sie mich an und merkt, dass sie gar nicht weiter zu sprechen braucht. Denn sie spürt, dass ich sie sehe. Und dass ich erkenne, wie es ihr gerade geht. Sie wirkt angespannt. Fast ein bisschen erstarrt und das obwohl sie so wild drauflosredet und auf den ersten Blick sehr lebendig wirkt. Doch bei genauerem Hinschauen erkenne ich, wie fest alles in ihr ist. Wie sie sich anstrengt, ihre Haltung zu wahren. Wie sie eine Fassade aufrechterhalten will, die gar nicht zu ihr gehört.

„Oh ja, liebe Seele, ich kann dir helfen", höre ich mich sagen. „Ich weiß, was in dir vorgeht. Denn ich erkenne mich in dir. Mir ging es auch einmal so wie dir jetzt. Komm, setz dich zu mir. Wir reden ein bisschen."

Sie setzt sich neben mich. Es fühlt sich auf einmal so an, als würde ich neben mir selbst sitzen. Irgendwie magisch. Ich beginne zu erzählen: „Es ist jetzt schon viele Jahre her. Da führte ich ein Leben, das nicht das meine war. Nichts bewegte sich mehr. Am wenigsten ich selbst. Ich fühlte mich unwohl, taub und irgendwie gar nicht mehr da. Ich funktionierte nur noch. Ich hatte eine Arbeit, die mich nicht erfüllte, mein Privatleben befriedigte mich nicht, ich war Single und konnte mich nicht auf einen anderen Menschen einlassen. Ich fühlte mich einsam, auch wenn ich mit anderen Menschen zusammen war. Ich hatte nur noch wenig Energie. Mein Körper schmerzte, er war so fest geworden, ich habe ihn gar nicht mehr gespürt. Nur noch Schmerzen, Traurigkeit, Einsamkeit, Angst. Angst vor der Zukunft, Angst davor, dass ich mein Leben nicht mehr auf die Reihe kriegen würde. Um mein Leid nicht zu spüren, lenkte ich mich ab – mit allen möglichen Dingen - Essen, Videos, Social Media, Sport, Hobbys, mit Seminaren, Arbeit. Ich hatte immer viel zu tun. So brauchte ich mich nicht mit mir selbst zu beschäftigen. Kennst du das?"

„Ja, das kenne ich. Genauso ist es bei mir", sagt die Seele aufgeregt. „Ich finde das furchtbar! Es ist, als würde ich ständig etwas tun, was ich eigentlich gar nicht will. Und dann stehe ich mir selbst sowas von im Weg herum, das mag ich gar nicht. Aber ich komme da nicht allein heraus." Sie stöhnt laut. Dann schreit sie fast: „Ich will, dass jetzt Schluss damit ist! So kann es nicht mehr weitergehen!"

Ihre Ungeduld ist deutlich zu spüren. Und noch viele andere Gefühle. Es klingt, als würde sie selbst mit sich schimpfen, als würde sie sich verachten – dafür, dass sie nicht sie selbst sein kann, dass sie sich immer wieder selbst boykottiert, dass sie ihr Leben nicht verändern kann – dass sie noch immer in diesem engen Kokon feststeckt, obwohl sie doch schon so vieles dafür getan hat, ihm zu entkommen.

„Ich will jetzt endlich mein Leben in die Hand nehmen! Ich will es jetzt endlich verändern! Ich will herausfinden, wer ich wirklich bin – und was mir wirklich wichtig ist! Und was meine Berufung ist! Ich möchte genauso - wie du - mir ein freies Leben kreieren, mit meinem Herzensbusiness, mit Menschen, mit denen ich mich wirklich verbunden fühle… und an einem Ort leben, an dem ich mich wohl fühle."

Sie springt auf und trampelt durch den Sand, kickt ihn weg, wie einen imaginären Ball. Sandkörner fliegen durch die Luft. Sie ist voller Wut – Wut auf ihr Leben, auf ihre Vergangenheit, auf ihre Eltern, ihre Lehrer, auf wen auch immer… auf all die Prägungen und Konditionierungen, auf all ihre Denk- und Verhaltensmuster, die sie zurückhalten, die sie wie imaginäre Gummibänder immer wieder zurückziehen, sobald sie nach vorne geht, um etwas zu verändern. Und am meisten ist sie auf sich selbst wütend. Denn im Grunde weiß sie, dass sie die Schöpferin ihres Lebens ist, und dass nur sie selbst sich aus ihrem Kokon befreien kann – unabhängig davon, was in der Vergangenheit passiert ist, egal, was andere von ihr denken, egal, wie viel Angst sie hat.

Okay, jetzt bin ich wohl an der Reihe: „Komm, Seele, wir probieren mal was aus. Wir schütteln uns eine Runde."

Rasch suche ich in meinem Smartphone die Playlist mit meinen Schüttelsongs. Sie beginnt mit einer ruhigen Musik zur Einstimmung. Wir stellen uns breitbeinig in den warmen Sand und spüren erst einmal in unsere Körper hinein. Dann beginnen wir uns von den Fußgelenken ausgehend zu schütteln. Erst sanft, dann immer intensiver. Alles schüttelt sich. Der ganze Körper. Alles kommt in Bewegung, die Füße fest am Boden. Die Beine wippen, das Becken tanzt, Bauch und Brüste schütteln sich, die Arme schlenkern, die Haare fliegen, jede Zelle kommt in Bewegung. Pure Lebendigkeit in unseren Körpern. Alles fließt. Wippen. Schütteln. Leichtigkeit. Lebensfreude. Und plötzlich ein Schluchzen. Ein kurzes Weinen. Dann wieder ein Lachen. Alles ist da. Pure Energie.

Das Schütteln geht in ein Tanzen über. Wir sind eins mit der Musik, die unsere Körper führt. Wir tanzen unser Leben. Das Leben ist Tanz. Die Musik wird ruhiger. Unsere Körper bewegen sich langsamer, mit kleineren Bewegungen, achtsam.
Die Musik ist aus. Wir sinken entspannt in den Sand. Liegen einfach nur da. Nehmen wahr, was gerade da ist. Prickeln. Pulsieren. Jede Zelle schwingt, obwohl der Körper entspannt daliegt. Ruhe und Lebendigkeit. Tiefe Entspannung und Vitalität. Alles zusammen ist gleichzeitig möglich.

„Wow!", höre ich neben mir die Seele sagen. „Ich fühle mich auf einmal so lebendig wie schon lange nicht mehr. Ich spüre mich wieder. Ich fühle Leichtigkeit."

„Ja, liebe Seele, das ist der Anfang. Körperlich loslassen und in Bewegung kommen. Dich wieder spüren. Wahrnehmen, was gerade los ist. Dann kommt auch alles andere wieder in Bewegung. Deine Gedanken, deine Gefühle, deine Energie. Dann fühlst du dich wieder. Merkst du es? Was fühlst du jetzt?"

Die Seele spürt in sich hinein: „Oh, ich bin auf einmal so traurig. Ich weiß gar nicht warum. Ich fühle Traurigkeit in mir, auch in meinem Körper. Es fühlt sich schwer an – hier." Sie legt ihre Hand auf ihren Brustkorb. „Ganz schwer."

„Ja, Liebes, du fühlst dich traurig. Traurigkeit ist in dir lebendig. Doch nicht du bist die Traurigkeit, sondern da ist Traurigkeit in dir. Vielleicht ein altes Gefühl, das sich

zeigen möchte, weil du es gerade wachgeschüttelt hast. Wenn du dich nicht mit ihm identifizierst oder es weghaben willst, dann wird es dir nichts anhaben können. Dann ist es einfach da, bis es wieder gehen will. Magst du der Traurigkeit mal ein freundliches Hallo schicken? Oder ein Ja?"
„Ja... Ooookay...", sagt die Seele etwas erstaunt über diese Frage. Doch sie lässt sich darauf ein. Ich gebe ihr die Worte und sie sagt: „Hallo, liebe Traurigkeit. Ich sehe dich. Und du darfst da sein." Sie ist ganz in ihrer Wahrnehmung versunken. Sie fühlt in sich hinein, nimmt sich wahr, ist komplett bei sich.

Nach ein paar Atemzügen sagt sie: „Wow, jetzt ist sie nicht mehr so stark, die Traurigkeit." Und nach einigen weiteren Atemzügen: „Boah, jetzt ist sie ganz weg. Das ist ja toll! Ganz ohne, dass ich sie weggedrückt habe wie sonst immer." Sie springt auf und rennt fröhlich ans Meer. Wie ein Kind, das eben noch geweint hat und einfach in ein anderes Gefühl gewechselt ist, hüpft sie am Ufer entlang, jauchzt und ruft: „Juhu, ich habe meine Lebensfreude wieder! Und meine Lebendigkeit!"

Wie schön, diese Leichtigkeit, diese Freude, diese Freiheit zu sehen. Ich erinnere mich, wie ich damals von meinen Gefühlen überwältigt wurde, als ich meinen Panzer endlich abstreifte. Plötzlich waren sie da, die alten Gefühle – Wut, Trauer, Scham, Hilflosigkeit – und ich lernte das innere Kind in mir kennen, das gesehen werden wollte, mit all seinen Facetten, mit all seinen Gefühlen, die wir im Laufe unseres Lebens gelernt haben zu verdrängen, weil wir sie nicht haben wollen, weil wir Angst haben, von ihnen überrollt zu werden.
Und ich erinnere mich, wie ich gelernt habe, die Wellen meiner Gefühle zu reiten, anstatt mich von ihnen wegspülen zu lassen. Es war so heilsam, sie anzuschauen und anzunehmen, sie zu integrieren, anstatt sie immer wieder wegzuschicken.

Die Seele tanzt am Meer entlang, spielt mit den Wellen und ist ganz in ihrem Element. Nach einer Weile kommt sie zu mir zurück und setzt sich wieder neben mich in den warmen Sand.

„Was war denn das? Was ist denn mit mir passiert?" Fragend schaut sie mich an.

„Du bist in Bewegung gekommen, meine Liebe. Über deinen Körper mithilfe des Schüttelns. Du hast deine Fassade fallen und deine Gefühle fließen lassen.
Du hast wahrgenommen, was gerade da ist, und du hast es angenommen, so wie es ist. So konnte deine Lebendigkeit wieder zum Vorschein kommen. Und deine Leichtigkeit. Das ist einer meiner Schlüssel zu deiner Transformation."

Die Seele räkelt sich genüsslich im Sand: „Ich wusste, dass du mir helfen kannst.

Und wie geht es jetzt weiter? Welche Schlüssel hast du noch für mich?"

„Oh, ich habe eine Menge für dich. Ein ganzes Menü an Möglichkeiten:
• Ich kann dich zum Beispiel auf deiner Forschungsreise zu DIR SELBST begleiten, auf der du dich mit all deinen Facetten kennenlernst und deine Power, Vielfalt und Kreativität entdeckst... und vor allem deine Selbstliebe wiederfinden.
• Ich helfe dir auch, dich von deinen alten Dämonen zu befreien und all das loszulassen, was nicht zu dir gehört und dich nur daran hindert, deinen Weg zu gehen. Dann wirst du Klarheit darüber haben, wer du wirklich bist und was du wirklich willst... und deine Schöpferkraft wiederentdecken.
• Und ich helfe dir, deine wahren Träume und Visionen wiederzufinden, die tief in dir verborgen sind und nur darauf warten, endlich gelebt zu werden. Dann kannst du deine innere Schatzkiste öffnen und deinen Gaben, Talenten und Fähigkeiten freien Lauf lassen... und deine Berufung entdecken und deinen Seelenberuf kreieren.

Möchtest du, dass ich dich individuell zu deinem Ziel begleite? Mit vielen kreativen und wundervollen Werkzeugen, so wie es zu dir passt? So dass du dich zu der einzigartigen, strahlenden Frau entfalten kannst, die du wirklich bist und die sich mit all ihrer Vielfalt und Kreativität der Welt zeigen darf?"

„Ja, das klingt großartig. Wann fangen wir an?"
„Am Montag."

„Okay, gebongt!"

Wunderbar! Ich freue mich auf die kommenden Monate mit der Seele. Ich liebe meinen Beruf, er ist meine Berufung. Ich bin den Weg gegangen, den die Seele jetzt vor sich hat. Er war lang und steinig. Die Seele bekommt nun die Abkürzung von mir. Sie wird bald aus ihrem Kokon in ein freies und erfülltes Leben fliegen.

Wir tauschen unsere Kontaktdaten aus und umarmen uns herzlich zum Abschied. Später schicke ich ihr die Adresse meiner Website, über die sie sich zum Coaching bei mir anmelden kann – und packe noch ein kleines Geschenk dazu: meine Schüttel-Meditation.

Hol dir meinen Mini-Workshop inkl. der Schüttel-Meditation:
www.hilkeschellenberg.com/powerupyourbodyvoice

Hilke Schellenberg – Inner Change Experience® Coach, Expertin für Bewusstseinscoaching, emotionale und energetische Transformation sowie kreative Potentialentfaltung. Nach langjähriger Erfahrung sowohl in der Personalentwicklung und Persönlichkeitsentwicklung als auch als Kursleiterin für Being in Balance®, Entspannung, Meditation, Stressbewältigung und SoulCollage® folgte sie ihrem Ruf als kreative Coachin, Mentorin und Trainerin, Frauen zu helfen, ihr Leben in die Hand zu nehmen und ihren Träumen zu folgen, damit sie sich ein freies, lebendiges und selbstbestimmtes Leben kreieren können. **www.hilkeschellenberg.com**

---

2 Ohoo! Hol dir ein Geschenk dazu ab:
www.jyotimaflak.com/geschenke

Foto: Manuela Engelking

STEPHANIE RESS Gedankenexpertin, Mentaltrainerin

WARUM OMAS GRIESSBREI GLÜCKLICH MACHT & ANDERSDENKEN HEILSAM IST

Gefühle beeinflussen unsere Gedanken und genau darin steckt die Lösung

Komm herein, kleine Seele, in meine wunderschöne Gedankenwelt. Hab keine Angst vor den dunklen Wolken, die du in der Ferne siehst. Sie ziehen schon wieder weiter und machen Platz für helle, leuchtende Wolken, wie die da hinten, siehst du sie? Ja genau, die meine ich, die so aussehen wie kleine Wattebällchen. Kennst du die auch? Ich liebe sie sehr, denn wenn ich sie sehe, bekomme ich immer so ein wohliges Gefühl in meiner Bauchgegend. Kennst du das? Hast du es auch schon einmal gespürt? Es fühlt sich so warm und geborgen an wie der Grießbrei von Oma.

Meine Oma kochte in meinen Augen immer den weltbesten Grießbrei. Wenn ich ihn gegessen habe, fühlte es sich danach immer so wohlig in meinem Bauch an. Heute weiß ich, woran das lag. Sie gab dem Grießbrei immer eine ganz besondere Zutat bei, nämlich eine große Portion Liebe.

Wenn ich dieses Gefühl in mir spürte, wollte ich es am liebsten nicht mehr hergeben. ‚Wenn ich mich nur immer so fühlen könnte', dachte ich mir vor einigen Jahren. Ich wollte wissen, wie ich dauerhaft an dieses wundervolle Gefühl kommen konnte. Also machte ich mich auf den Weg oder, besser gesagt, auf eine Entdeckungsreise mit ungewissem Ausgang, Ende offen.

Wenn du willst, kleine Seele, nehme ich dich gerne mit auf eine Gedankenreise und erzähle dir von einigen meiner Abenteuer und Stationen.

Jedoch zuvor möchte ich dir gerne eine Frage stellen:
„Worüber machst du dir aktuell die meisten Gedanken?"

‚Oh', denkst du vielleicht. ‚Wieso will sie das jetzt von mir wissen?' Der Grund ist, wenn ich weiß, worüber du dir die meisten Gedanken machst, dann kann ich meine Reise genau dort beginnen. Es ist nicht schlimm, wenn du mir nicht gleich antworten kannst, dann fangen wir einfach von vorne an. Denke einfach ein wenig darüber nach und wir sprechen später darüber, ja?

Also, los gehts. Bist du angeschnallt, denn es kann schon mal recht turbulent werden.

Ein wellenreiches Abenteuer

Wer mich kennt, weiß, dass ich mich schnell entscheide und danach auch bereit bin, so richtig Gas zu geben. So habe ich mich vor einigen Jahren entschieden, einmal genauer hinzuschauen, was es zwischen Himmel und Erde noch so alles gibt, was ich zwar schon des Öfteren gehört, jedoch nicht wirklich begreifen und glauben konnte. Bis zu diesem Zeitpunkt war ich felsenfest davon überzeugt, was ich nicht sehen und anfassen kann oder was bereits wissenschaftlich bewiesen wurde, existiert nicht. PUNKT.

Kurz nachdem ich also die Entscheidung getroffen hatte, zeigte sich auch schon die erste Gelegenheit. Was für ein Zufall, oder? In zwei Tagen sollte ein Schnupperabend stattfinden, in dem es um Quanten, das Universum und Wellen gehen sollte, die wohl einiges in Wallungen bringen.

‚Das ist genau das Richtige für mich und ein bisschen reinschnuppern kann ja nicht verkehrt sein', dachte ich. Denn was soll bei einem Schnupperabend schon groß passieren? An der Stelle sei schon mal gesagt, mit dieser Annahme lag ich absolut falsch.

Wie schon gesagt, entscheide ich mich schnell und zwei Tage später saß ich gemeinsam inmitten vieler anderer Schnuppernden im Quantenschnupperabend.

Bevor ich weiter erzähle, muss ich dir noch kurz sagen, dass ich mich schon bereits bei der Anmeldung etwas seltsam gefühlt habe. Es fühlte sich an, als hätte ich ein viel zu enges Korsett an und ich bekam richtig schlecht Luft. Ich sage dir, das war nicht lustig und fühlte sich so gar nicht nach Omas Grießbreigefühl an. ‚Ach', dachte ich mir, ‚wenn doch bloß die Oma noch da wäre und mir jetzt einen Grießbrei kochen würde, das wäre schön.' Natürlich könnte ich mir auch selbst einen Grießbrei kochen, doch der schmeckt eben nicht so wie bei Oma.

Okay, nun saß ich also mit engem Korsett im wellenreichen Quantenschnupperabend und hoffte, etwas mehr vom Universum und den Wellen zu hören. Wohlgemerkt, ich hoffte gleich Hoffnung. Auf die Hoffnung und ihre damit verbundene Erwartung komme ich später noch zu sprechen. Falls ich es vergesse, erinnere mich bitte noch einmal daran. So, nun kommen wir aber zu den Quanten, Wellen und dem Universum, denn aus diesem Grund war ich ja gekommen.

Was an diesem Abend alles geschah, kann ich dir hier in Kürze gar nicht erzählen und noch weniger erklären, denn das würde schon ein ganzes Buch füllen. Wir kamen auf alle Fälle aus dem Staunen nicht mehr heraus. Es passierten die unglaublichsten und wundersamsten Dinge. Menschen fingen einfach ohne einen Grund an laut zu lachen, zu weinen oder nahmen komische Körperhaltungen ein. Einige sind sogar einfach umgefallen, jedoch in die Arme von liebevollen Menschen. Keine Angst, kleine Seele, sie sind alle wieder aufgestanden und sahen danach sehr glücklich aus. ‚Es war wie Zauberei und musste mit der sogenannten Welle zusammenhängen', dachte ich. ‚Vielleicht kann sie ja auch mein Korsett wegzaubern, damit ich wieder Omas Grießbreigefühl bekomme', ging mir durch den Kopf.

Wir erfuhren, dass bei diesen Prozessen Emotionen, die in unserem Energiekleid gespeichert sind, freigesetzt und transformiert werden. Wir kannten nun die Welle und wussten, dass sie aus freigesetzter Energie entsteht und dass alles auf der modernen Quantenphysik basiert. Ja, wir lernten sogar die Dauerwelle kennen, die ich zuvor nur von einem meiner Friseurbesuche kannte. Ich wusste nun, das Universum hat noch so viel mehr zu bieten, als wir uns je vorstellen können. Vor lauter Staunen bemerkte ich gar nicht, dass mein Korsett weg war. Hurra, ich konnte wieder richtig durchatmen. Nach diesem sehr aufregenden Abenteuer kam endlich wieder das Gefühl von Omas Grießbrei in mir hoch.

An diesem Abend habe ich mich vom Quanten- und Wellenfieber anstecken lassen und legte unbewusst den Grundstein für mein heutiges Mindset Spiel „My best World“. Ich bin sehr froh, mich auf dieses Abenteuer eingelassen zu haben, denn es hat mein ganzen Leben verändert. Dir, liebe Seele, möchte ich Folgendes gerne mit auf den Weg geben:

Abenteuer sind die Süße des Lebens und das Salz in der Suppe. Erlebe so viele Abenteuer wie du nur kannst und genieße sie in vollen Zügen.

Eine Station voller Hoffnung und Erwartung

So und nun kommen wir, wie versprochen, auf die Hoffnung zurück. Bereits als meine Mutter mit mir schwanger war, war sie *guter Hoffnung* und gleichzeitig voller Erwartung, dass die Geburt gut verlaufen und ich gesund auf die Welt kommen würde. So wurde mir quasi die Hoffnung und die Erwartung bereits bei meiner Geburt mit in die Wiege gelegt.

‚Prima!‘, dachte ich mir. Im Grunde genommen ist das ja auch erst einmal nichts Schlimmes, denn *guter Hoffnung* zu sein und etwas zu erwarten kennt wohl jeder. Überlege doch bitte einmal selbst, kleine Seele, wie oft du am Tag etwas hoffst und erwartest. Lass doch mal einen deiner Tage Revue passieren und schreibe dir auf, zu welchen Themen und Situationen du *guter Hoffnung* warst und vielleicht sogar noch zusätzlich etwas erwartet hast. Du wirst erstaunt sein.

Wie bereits gesagt, im Grunde nichts Schlimmes, wenn da nicht die Erwartung und oft auch die anschließende Enttäuschung wären. Wie oft hoffen wir zum Beispiel einmal viel Geld zu verdienen oder den passenden Partner zu finden oder erfolgreich zu sein? Und mit jeder Aktivität in diese Richtung erwarten wir ganz im Geheimen einen erfolgreichen Ausgang. Doch nicht selten werden wir enttäuscht.

Eines kann ich dir aus meiner Erfahrung, die ich an der Station Hoffnung und Erwartung gemacht habe, sagen: Solange du dich in der Erwartungs- und Hoffnungsschleife befindest, bist du emotional sehr auf deine Wünsche oder Lebensumstände, die du dir vorstellst beziehungsweise die du gerne hättest, ausgerichtet und somit auch immer wieder den damit verbundenen Enttäuschungen ausgeliefert.

Ich habe gelernt, meine Gedanken zu verändern und habe das Wörtchen *Hoffnung* in *Freude* und das Wörtchen *Erwartung* in *Liebe* getauscht.

Wie hört sich der folgende Satz für dich an: Meine Mutter war voller Freude, als sie mit mir schwanger wurde und war gleichzeitig beseelt mit liebevollen Gedanken und Gefühlen. Sie war sich sicher, mich über alles zu lieben. Allein dieser Satz löst in mir Omas Grießbreigefühl aus.

In Wirklichkeit gibt es nämlich gar keine Enttäuschungen. Sie sind nur das Ergebnis des Zusammenspiels von Hoffnung und Erwartung.

Wie geht es dir, kleine Seele? Ist dir schon schwindlig oder bist du vielleicht schon im Gedankenkarussell gelandet? Wenn nicht, nehme ich dich noch mit zu einer ganz besonderen Station, in der gesendet und empfangen wird.

Achtung Funkstation: Sender und Empfänger

‚Was haben Senden und Empfangen mit unseren Gedanken und Omas Grießbrei zu tun?', fragst du dich vielleicht.
Immer, wenn wir etwas sagen oder schreiben, denken wir uns etwas dabei, stimmt doch, oder? Wir haben eine ganz bestimmte Vorstellung von dem Thema, um das es geht. Genau mit diesen Gedanken und Vorstellungen gehen wir in ein Gespräch oder schreiben zum Beispiel eine Email oder einen Post in Social Media. Manchmal kennen wir den Empfänger wie bei einem persönlichen Gespräch oder Telefonat, manchmal jedoch auch nicht, wie bei einem Post auf diversen Social Media Plattformen. Der Empfänger unserer Nachricht kennt unsere Gedanken nicht, zur Zeit auf jeden Fall nicht.

Hinzu kommt, dass der Empfänger sich ja auch so seine Gedanken macht, die wir wiederum nicht kennen.
‚Oh weh, jetzt bin ich ganz verwirrt', denkst du vielleicht. ‚Ist es nicht egal, was jeder denkt?'
Nein, ist es eben nicht, denn genau aus diesen Gedanken sind schon so viele sogenannte Missverständnisse entstanden und das macht dann auch schon mal Bauchschmerzen, besonders wenn es um sehr wichtige Dinge geht.

Du musst wissen, ich war Weltmeisterin in der Annahme, andere könnten meine Gedanken lesen. Ich dachte, dass meine Empfänger meine Gedankengänge bereits kennen und ich nur daran anknüpfen müsse. Nein, das war nicht egoistisch von mir oder böse gemeint, auf keinen Fall, ich habe mir nur keine Gedanken darüber gemacht, es war eher so eine Art Automatismus oder Routine. Ich war so in meinen

Gedanken versunken, dass ich davon ausging, andere wüssten, was ich gerade so denke. Das geht vielen Menschen so, die meisten merken es gar nicht, so wie ich es auch nicht gemerkt hatte.

Ich habe an der Station *Sender und Empfänger* gelernt, achtsamer mit meinen Gedanken und den Gedanken anderer Menschen umzugehen, ein wenig toleranter mir und anderen gegenüber zu sein und ganz besonders mich so zu lieben und anzunehmen wie ich bin - auch wenn meine Worte bei meinem Empfänger mal ein wenig anders ankommen als von mir gesendet. Das ist nicht tragisch, denn Worte, in Liebe geschrieben oder gesagt, können auch immer nur in Liebe empfangen werden. Mhm, wie schön, das hört und fühlt sich doch wieder nach Omas Grießbrei an, oder?

Geht es dir noch gut, geliebte Seele? Ich habe dir ja gesagt, es kann etwas turbulent werden. Nun kannst du dich wieder abschnallen. Unsere nächste und für heute letzte Station gehen wir zu Fuß.

Heilsames Andersdenken

Geliebte Seele, hier endet nun unsere kleine Gedankenreise. Was jedoch nicht heißt, dass wir an der Endstation angekommen sind. Es ist nur eine weitere Station zu neuen Abenteuern und Herausforderungen. Nun stelle ich dir noch einmal die Frage, die ich dir zu Anfang gestellt habe. Kannst du dich noch erinnern?
„Worüber machst du dir aktuell die meisten Gedanken?"
Vielleicht laden dich folgende Worte zum Andersdenken ein und bescheren auch dir Omas Grießbreigefühl:

- Wenn deine Gedanken dir ein Omas Grießbreigefühl geben, dann bist du auf dem richtigen Weg und hast fortan einen liebevollen Wegweiser an deiner Seite.

- Denke immer daran, die Worte *Hoffnung* und *Erwartung* gegen *Liebe* und *Freude* auszutauschen. Damit lebt es sich leichter.

- Gib deinen Worten immer eine große Portion Liebe bei und du wirst immer Liebe empfangen.

Wenn dein Gedankenkarussell dich wieder einmal nicht schlafen lässt oder du das Bedürfnis hast, mit mir über deine Gedanken und Abenteuer zu plaudern, lade ich dich gerne zu einem liebevollen Gedankenaustausch mit mir ein.

Deine Stephanie

Hol dir mehr Energie mit dem: www.stephanieress.com/energyquickbooster

---

Stephanie Ress – Gedankenexpertin, Mentaltrainerin, Futuredesignerin. Als Ehefrau, Mutter und Großmutter startet Stephanie mit 57 Jahren noch einmal so richtig durch, um für die ganze Welt mit ihrer Lebensaufgabe auf allen Kanälen sichtbar zu werden. Ihre eigene 540 Grad Lebensdrehung hat Stephanie dazu gebracht, ihre spielerischen Wurzeln wieder neu zu entdecken, zu ihnen zurückzukehren und ihre Erfahrungen mit anderen Menschen zu teilen. Mit dem von ihr entwickelten Mindset Spiel „My best World", das auf einer einzigartigen Mentaltechnologie der neuesten Generation basiert, zeigt sie Menschen den absolut schnellsten und einfachsten Weg, wie sie Klarheit in ihre Gedanken bringen und ein freies, selbstbestimmtes Leben führen können. **www.stephanieress.com**

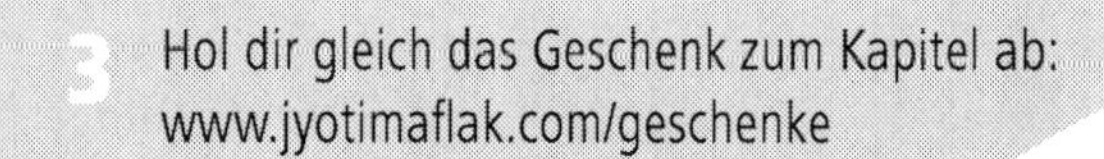

Sobald du bereit bist, deine Stolpersteine als Geschenke anzunehmen, dann fängst du an zu leuchten – nicht nur für DICH, sondern auch für die anderen.

Carole Winiger-Candolfi

100% Lebensfreude! Echt! Leuchtet immer!

Martina EsRa Dissertori

BEWEGEN und DENKEN sind die Schlüsselwörter für ein immer fittes Leben. Körperliches Bewegen bewegt deinen Geist.

Christine Haider

DIE WELT DER HEILUNG

„Also, meine Gedanken erschaffen regelmäßig meine Welt. Spannend."

Sie war gerade an der Weggabelung zur *Wüste des Vergessens* entlang gekommen. Nein, sie wollte nicht vergessen, sie wollte sich erinnern.

„Bloß nicht in diese Richtung!"

Entfernt sah sie ein paar Geier kreisen. Sie war ein bisschen müde, aber dieser Ort schien ihr nicht ideal zum Pause machen, zu düster war er.

*Welt der Heilun*g stand auf einem Schild.
„Das hört sich gut an", sprach die Seele und eilte vorwärts.

Foto: Jutta Jala Pahnke

SELIA ROSWITHA SIMON Heilpraktikerin & Heilerin

DAS HEILSEIN

Die Seele Claire spürt ihre Sehnsucht, neue Abenteuer auf Mutter Erde zu erleben. Begleitet von ihrem Schutzengel landet sie ganz sanft mitten in einem weichen Moosbett auf einer sonnenbeschienen Lichtung im Schönsteiner Wald.

Ein Wispern um Claire herum macht sie neugierig und sie fragt voll strahlender Herzensliebe: „Wo bist du?"

„Wir sind um dich herum. Schau mit deinem Herzen, dann kannst du uns klarer wahrnehmen", antworten die Wurzelmännchen der Moose und Claire fühlt sich so vertraut und unglaublich geborgen.

„Ich heiße dich willkommen", strömt eine warme Stimme in ihr Bewusstsein. Ein tiefes Gefühl, wie ein inneres Verneigen, folgt dieser Stimme. „Ich bin SoMoRi, der Landschaftsengel dieses Landschaftstempels und hüte diesen seit ewigen Zeiten. Wenn du magst, begleite ich dich auf deiner Lebensreise und bringe dich mit den vielfältigen Naturwesenreichen, ihrer Kommunikation, ihren Lebensfeldern und wie man HeilSein erlebt in Kontakt."

Vertrauensvoll setzen sie sich gemeinsam ins Moos. Claire erzählt SoMoRi, dass sie Spuren von Erinnerungen und Empfindungen in sich trägt, die sie noch immer als sehr aufwühlend empfindet und die sie unruhig sein lassen. Damals wurde sie schließlich krank, ihr Körper und Geist kamen aus der Balance. Erschüttert über diese noch so präsente Erinnerung und dem tiefen Wunsch, eine solche Erfahrung nicht noch einmal zu erleben, bittet sie SoMoRi um Rat.

„Liebe Claire, gerade bei Wesen, die sehr sensibel, wahrnehmend und sensitiv sind, überfordern zu viele Erinnerungen oder Außenreize sehr schnell und bringen diese aus der Balance. Lass uns einfach im Hier und Jetzt spüren und mit unserem Herzen sehen.

Schau, dort auf dem kleinen Teich die Lotusblüte im Sonnenschein. Sie hat Wurzeln, die bis tief in die Erdenmutter hinabgehen. Sie werden genährt, hier finden sie Halt, können sich einlassen und tiefer eintauchen, bis der Wachstumsimpuls für die Pflanze zum Licht durch die Erde hindurch aus dieser Geborgenheit entsteht. Die Pflanze entwickelt ihren Stängel in aller Ruhe und in den natürlichen Rhythmen der Jahreszeiten. Nach und nach entstehen die Blätter, die mit ihrer Aufnahme von Licht und Wärme ganz in ihrem Rhythmus die Blüte entstehen lassen. Bei Sonnenstrahlen öffnet sich die Lotusblüte in all ihrer Schönheit und wir können diesen Augenblick und seine Leuchtkraft genießen, dankend mit den Pflanzendevas, die die Pflanze hüten, in Verbindung treten und uns berühren lassen. Ob Wolken, Wind oder Regen aufziehen, die Blüte öffnet und schließt ihre leuchtenden Energien.

Einverstanden, hingebungsvoll, annehmend, natürlich, dem Rhythmus folgend. Es ist ihre Aufgabe als Lotus. Lassen wir uns ein wenig durch die Elfchen der Lotusblüte bezaubern, mit der wir mit unserer Herzensliebe in Kontakt sein dürfen. Hingebungsvoll kümmern sie sich um die Blüte und ihr Wohlergehen und strahlen uns in ihrer Glückseligkeit an."

Durch die Erzählung von SoMoRi fühlt Claire, wie sie wieder in ihre Ruhe zurück findet. Der Boden unter ihr vermittelt fühlbar Stabilität und sie kann sich erlauben, tiefes Vertrauen zu fassen. Langsam lässt die Unruhe der Erinnerung nach, fließt wie aus ihr heraus und sie spürt mehr und mehr, wie einverstanden die Pflanzen sich ihrem Wachstum hingeben, begleitet von den vielfältigen Pflanzen- und Wurzeldevas.

Mit einem sanften Windhauch und ein wenig Gegrummel zeigen sich Claire die Zwerge. Die lustigen Kerlchen kitzeln sie unter den Füßen.

„Liebe Claire, diese Erinnerungen sind Spuren deiner Seelenlandschaft, die dich in diesem Leben aufmerksam machen oder gelöst werden möchten, damit du HeilSein kannst."

„Ja, liebe SoMoRi, es gibt Erinnerungen, wie ich meine Ideen ganz begeistert angefangen habe umzusetzen. Bei Schwierigkeiten fehlten mir dann die Ausdauer und Geduld. Leider fühlte ich mich dann auch zu schwach um Hilfe zu bitten. Stattdessen ließ ich meinen Traum einfach sein und wandte mich anderen, vermeintlich wichtigeren Dingen zu. Ich war es mir nicht wert genug, meine Ideen wie Samenkörner in die schön vorbereitete Erde zu legen und sie kontinuierlich zu nähren, pflegen und hüten, wie ich es hier gerade erlebe. Ich bin tief berührt. Mein Gefühl, keine wirkliche Erdung zu haben und über der Erde zu schweben, statt mit ihr verwurzelt, verbunden und genährt zu sein, empfinde ich jetzt erst. Ich bin ganz erstaunt, was das für einen Unterschied macht, dieses beruhigende, wohltuende und geborgene Gefühl in mir zu spüren."

„Tauche immer wieder in dieses wundervoll nährende Gefühl deiner eigenen Wurzeln ein. Hier in der Natur der Erdenmutter ist es natürlich und leichter als auf versiegelten Flächen. Sei ganz sicher, du bist immer verbunden in deinem Bewusstsein. Bestimmt gibt es in deinen zukünftigen Lebensräumen Flächen, die dich besonders anziehen und über die du dich wieder natürlich rückverbinden kannst. Beachte bei deinen Träumen und umzusetzenden Ideen den Unterschied in ihrer Entwicklung, wenn du angebunden und genährt durch deine Wurzeln, dienend und in Dankbarkeit, der Erdenmutter diese Samen anvertraust und wachsen siehst."

Deine Erden- und Wurzelkraft kannst du auch durch deine Nahrung unterstützen, zum Beispiel indem du dir Wurzelgemüse wie Möhren, Kohlrabi oder Rote Beete bereitest oder Walnüsse genießt."
Vertraut wandern sie mit offenem Herzen schweigend in der lebhaften Landschaft

weiter. Der Gesang der Vögel begleitet sie, das Rascheln von Käfern im Geäst, der Wind in den Blättern ist wie Gesang, die Hummeln brummeln vorbei. Einige Vögel zupfen Himbeeren an den Sträuchern und fast kann Claire das Glück der Amsel über ihr Leben mitempfinden und wie erfüllt diese ist. Glücklich und fragend zugleich strahlt sie SoMoRi an. Diese antwortet ihr wieder über die Herzensebene: „Ja Liebes, vertrau deiner Wahrnehmung. Es ist alles gut. Erlaube dir, diese Liebe noch tiefer zu fühlen. Die Amsel dient dir in ihrem Sein genauso als Lehrer wie eben der Lotus, die anderen Pflanzen, die Zwerge, die Blütenelfchen oder Wurzelmännchen. Lass dein Glücklich sein ganz beruhigt durch all deine Zellen strömen."

Ein paar alte, von der Sonne getrocknete Baumstümpfe laden sie zum Verweilen ein. Nach einer Weile erzählt Claire: „Liebe SoMoRi, ich habe das Gefühl, dass hier einige Erinnerungsspuren in mir wach werden. Diese haben mit Traurigkeit aber auch mit Wut und Zorn, regelrechtem Stress zu tun. Es sind Spuren wie Magenschmerz und Verstopfung/Durchfall, oh sogar eine Erinnerung an eine Gallenoperation. Diese Unruhe und nicht ausgedrückten Emotionen haben meine Nieren und Blase belastet, die ständig entzündet war. In der Erinnerung ist mein ganzer Solarplexus wie zugeschnürt. Was hätte ich nur tun können?"

„Atme ganz ruhig ein und wieder aus, liebe Seele, einatmen und wieder ausatmen. Und noch einmal: einatmen und wieder ausatmen. Spüre dich ganz hier, wo wir jetzt gerade sind.

Die Erinnerungsspuren weisen darauf hin, dass dein Wasserhaushalt und deine Verdauung von früherer Unzufriedenheit mit dir selbst immer mehr belastet wurden. Bleibe bitte jetzt ganz gegenwärtig und lasse zu, dass dich die Schönheit und Reinheit der dich umgebenden Natur tragen und balancieren. Atme ein und wieder aus und lass die Erinnerungen ziehen wie die Wolken am Himmel.

Auf der Erde gedeiht alles im Zyklus der Polarität zwischen Spannung und Entspannung. Stelle dir einmal eine liegende Acht vor. Wenn du magst, bewege deine Hände in dieser Form vor deinem Körper. Erst klein, dann vielleicht größer. Wenn du magst, kannst du auch ganz groß schwingen. Wie fühlt sich das an?"

Claire bewegt ihre Hände zunächst langsam vor ihrem Körper in der Form der liegenden Acht. Nach und nach lässt sie den Schwung größer werden, dann wieder kleiner: „Oh, ich fühle mich sehr fröhlich und wohl mit dieser Bewegung. Sie konzentriert mich in meiner Mitte."

„Genau. Das bewusste Erkennen und Erleben von Spannung und Entspannung, Wachsen und Loslassen, Weiblich und Männlich, Passiv und Aktiv mit der Erden-

mutter in spielerischer Leichtigkeit zu erfahren, mehr bedarf es nicht. Wann ist es Zeit im Rhythmus zu geben und aktiv zu sein, wann ist es Zeit anzunehmen, zu entspannen, loszulassen.
Schau einmal einige Augenblicke dort vorn zu dem Holunderstrauch und seinen umstehenden Schwestern, den Hainbuchen. Bemerkst du die smaragdgrünen Feen in ihrem Tanzreigen? Die Freude und Leichtigkeit, mit der sie ihre Aufgaben und Fürsorge für die Sträucher wahrnehmen? Ihr Strahlen und Leuchten aus der Herzensebene heraus? Fühl dich gern eingeladen, mit ihnen zu sein, zu tanzen und zu wiegen."

Claire genießt das intensive Zusammensein mit den Feen sehr. Sie spürt eine neue Lebendigkeit und ein unglaubliches Glücklich sein in sich und dankt den bezaubernden Naturwesen.

„Liebe Claire, auch hier kannst du dich in deinem zukünftigen Leben immer wieder anbinden. Über deinen Atem, das Schwingen der liegenden Acht oder das Wahrnehmen deiner Herzensliebe mit den Feen, mit ihnen tanzen, einfach sein. Du kannst dich ebenso über deine Nahrung mit Salaten, Brokkoli oder Saaten in Balance halten; natürlich auch dankend über die Geschenke des Holunder mit seinen Blättern, Blüten und Beeren einen Tee bereiten. Die Hainbuche stellt sich dir ebenso gern zur Verfügung und unterstützt dich in deinem HeilSein.
Über deine Herzensintelligenz bekommst du immer die für dich richtige Antwort auf deine Fragen. Wie geht es dir damit, Claire?"

„Geliebte SoMoRi, ich fühle mich erleichtert, sehr beschenkt und bin glücklich, hier mit Euch zu sein."

Langsam verabschieden sie sich achtsam und dankbar von diesem Platz und den vielen Naturwesen und eine Welle von Freude erreicht Claires Herz.

SoMoRi führt sie zur Firzelbach Quelle, die aus der Erdenmutter sprudelt.
Es fühlt sich fröhlich und leicht an. Wassertröpfchen für Wassertröpfchen reihen sich aneinander, verbinden sich und fließen ihres Weges. Einverstanden, kraftvoll, klar. Die Wasser- und Erdenwesen hier am Übergang des Quellgebietes sind so unfassbar zart und heben jedes einzelne Wassertröpfchen wie ein heiliges Geschenk und übergeben es der Erdoberfläche. Zutiefst berührt beobachten sie. Claire bemerkt SoMoRis liebevolle Haltung des Segnens und bleibt ganz still.
Sie folgen dem Bach auf seinem Weg, manchmal tief im Wald verborgen, teils am Fürstenwanderweg sichtbar. Überall begleiten sie Naturwesen. Claire hat das Gefühl, zeitlos zu sein.

„Liebe Claire, ich kann deine Frage spüren. Über die Herzensebene verbunden sein, lässt uns auch telepathisch sprechen, wenn wir es ein bisschen üben. Aber stelle sie ruhig auch laut, das gibt dir zunächst Sicherheit."

„SoMoRi, ich bin erstaunt über die vielfältigen Geschenke und Offenbarungen an diesem Tag", flüstert Claire, die bei einer Gruppe blauer Glockenblumen stehen bleibt. Die Zartheit der Blütenelfen, die die Glöckchen hüten und zum Klingen bringen, geht ihr tief ins Herz. Nie wieder wird sie diese Anmut vergessen. Die Fülle und ein Gefühl des bedingungslosen Reich seins erfüllt ihr ganzen Sein.

„Warum hast du jeden Wassertropfen gesegnet, geliebte SoMoRi?"

Lächelnd erzählt SoMoRi: „Mit der Segnung begegnest du allen Lebensformen, jedem Element, jedem Sein und jeder Form mit der Haltung von Achtsamkeit, Würdigung und respektvoller Liebe. Ich bin der Landschaftsengel dieses Landschaftstempels, hebe und halte mit Segen die Energie dieses Bereichs im Umkreis.
Du kannst dies für dich ebenso tun. Segne dein Mahl. Segne deinen Platz. Segne dein Tun und erlebe die wohlwirkenden Kräfte, die damit verbunden sind."

Immer weiter schreiten sie entlang des Weges, kommen tiefer in den Wald, in dem nicht geforstet wird. Ruhe und frohe Gelassenheit begleiten sie. Ein Durstgefühl macht Claire aufmerksam und SoMoRi zeigt ihr eine reichlich wachsende Kolonie Sauerklee: „Fühle bitte zunächst einmal, ob der Sauerklee deinen Durst löschen kann", holt SoMoRi sie aus dem Bedürfnis wieder ganz in den Augenblick zurück. „Wenn in deinem Herzen ein Ja erklingt, bitte die Elfen, dir die Pflanze zu zeigen, die dich nährt. Segne sie achtungsvoll voller Liebe, wenn du sie zu dir nimmst, und spüre welches Pflänzchen sich dir kraftbringend zur Verfügung stellen mag. Dann kannst du dich gern nähren."

Claire denkt: „Wie anders ist dieses Erfahren von Lebendigkeit als jemals zuvor."

Glücklich und dankbar für die reichhaltige Zeit miteinander gehen sie weiter.
Nach einer Weile kommen sie an der Mündung des Firzelbaches in die Sieg an. Lustig sprudelnd hüpft jeder Wassertropfen die Felsen hinab in die Sieg, verschmilzt mit ihr auf dem weiteren Weg. Es stimmt sie so fröhlich und sie wählen einen großen Felsen zum Verweilen aus, der von der Sonne gewärmt einladend zu ihnen spricht. Claire staunt erneut: „Der Fels hat in meinem Herzen gesprochen, SoMoRi."

„Natürlich, liebe Claire, der Berggeist und alle Steinwesen sind sehr lebendig, auch wenn sie langsamer scheinen. Im Bewusstsein vieler Menschen sind die Engel noch präsent. Manche Menschen beschäftigen sich seit einer Weile mit Energieebenen und entdecken langsam wieder die Vielfalt und Unterstützung des achtungsvollen, gegenseitigen Seins."

Claire weiß noch genau: „In einer Erinnerungsspur fühlte ich mich sehr verkopft und extrem kraftlos, konnte mich nicht mehr konzentrieren, war depressiv und konnte den Lebenskampf nicht mehr weiter führen. Wie innerlich leer gelaufen."

„Leider geschieht dies häufiger, dass die Wesen sich in ihrem Leben zu Tode kämpfen. Eine sehr alte Energie. Es geht gar nicht ums Kämpfen, liebe Claire", beginnt SoMoRi ihr mitfühlend zu erklären. „Diese alte Energie der Erde, bei der auf herausfordernde Situationen mit Kämpfen, Fliehen oder Einfrieren reagiert wird und wurde, wird von der Erdenmutter gerade gereinigt und losgelassen. Die Erdenmutter schwingt sich in eine liebe- und lichtvollere Energiefrequenz ein. Das System von du bist der Täter, ich bin das Opfer; du bist der Böse, ich bin das Gute wird nicht länger unterstützt.

Natürlich braucht in jedem Rhythmus alles seine Zeit und die alten Systeme spielen noch und führen interessante Spiele. Das neue hat noch keine Struktur und bildet sich ganz langsam aus mit liebevoller Empathie, Fürsorge und Kreativität in der neuen Lichtfülle, die die Wesen dann einfach einfließen lassen können."

„Bitte bleibe bei dir und schau, was dein Herz und dein Seelenplan für dich bereit halten. Segne die Herausforderungen und Wesen aus deiner Herzensliebe.
Du kannst dich, wenn du dich selbst in einer solchen Situation befindest, über deinen Atem mit dem Hier und Jetzt und deiner Erinnerung an deinen schönsten Augenblick sofort balancieren. Der nächste Schritt strömt dann in Liebe zur Situation aus deinem Herzen.

Oder Liebes, erinnere dich an die liegende Acht. Wenn du magst, kannst du sie nun als stehende Acht in dir fühlen. Spüre deine Verbindung zum Himmel und deinen Ankerplatz mit deinen Wurzeln hier in der Erdenmutter. Eine ewig strömende, nährende Verbindung durchflutet mit dieser Energie all deine zukünftigen Lebensfelder, wie zum Beispiel deine zukünftige Familie wie auch deine Berufung, Freundschaften, Partnerschaft. Sie fließt in all deine Sozialumfelder. Mit deiner Herzensliebe balancierst du die lichte Qualität all deiner Zellen bis zur Rückverbindung zum Ursprung deiner Seele, liebe Claire."

Fühlbares HeilSein und ein kaum beschreibbares Glücksgefühl durchströmen Claire in diesem Augenblick der Anbindung. Das tiefe, von SoMoRi vermittelte Wissen, macht ihr Herz leicht, die Sehnsucht nach HeilSein zu leben.

„Komm Liebes, wir gehen zur Hüterin des Ahorns."

Ein wunderschönes Baumwesen lädt Claire ein, ihren Stamm zu berühren, sie zu umarmen, ihre Kraft fließen zu lassen. Sofort fühlt sich Claire in eine Leichtigkeit und Klarheit getaucht.

„Ich freue mich sehr, dass du spüren kannst, welche Wirkung ich in dir unterstützen darf", erklingt das Hüterwesen in Claire. „Du bist immer willkommen, ich bin da."

Einige Schritte weiter steht würdevoll eine schlanke Buche. Claire wird von ihrer Ausstrahlung angezogen und SoMoRi ermuntert sie, die mütterliche, annehmende Kraft und Stabilität der Hüterin zu spüren: „Auch ich bin da, liebe Claire."

Liebend schaut Claire zunächst zu den Wurzeln am Stamm der Buche, dankend lehnt sie sich an den Stamm und schaut in das riesige Blätterdach der Krone. Sie glaubt, Blätterelfchen zu entdecken und ist schlichtweg dem Himmel so nah.
Sie bittet ihre Herzensintelligenz und alle sie begleitenden Wesen, sie von nun an zu erinnern, dass alles zur Einheit gehört und seinen Platz darin hat. Alles ist eine Form der Liebe und findet seinen Ausdruck als Seinsgefühl im HeilSein.

Erlaube dir gern, dich von mir begleiten zu lassen.

Wenn du magst, genieße die beigefügte Friedensmeditation mit mir.

„Meine 7 besten Tipps zum HeilSein" als PDF erhältlich für 33 €
Email: Roswitha.Simon@gmx.net

Selia Roswitha Simon ist Heilpraktikerin, Heilerin in traditionellen sowie energetischen Heilweisen, Expertin für das Bewusstsein, HeilSein erlebbar zu machen. Mit dem Thema beschäftigt sich Selia als wahrnehmend, sensitiver Mensch seit frühester Kindheit. Ihren Dienst bietet sie seit 1994 Patienten und Klienten in Einzelterminen, Seminaren, Schulungen sowie Ausbildungen an. Selias Ziel ist HeilSein als die Balance im MenschSein zu vermitteln, damit Körper, Geist und Seele beständig gesund und kraftvoll sind. **www.roswitha-simon.net**

---

4 Hol dir das Geschenk zu diesem Kapitel:
www.jyotimaflak.com/geschenke

Foto: Heiko Bolach

PEGGY WOLF Ernährungsberaterin mit Schwerpunkt Hashimoto

LIEBE DEINEN KÖRPER UND DEIN KÖRPER LIEBT DICH

„Liebe Peggy, ich erkenne dich kaum wieder. Du hast dich unglaublich verändert. So lebenslustig und aktiv warst du früher nicht. Und du hast enorm abgenommen. Toll siehst du aus! Was ist dir passiert? Wie hast du das gemacht?"

Liebe Seele, um dir das zu erzählen, muss ich ein wenig ausholen. Noch vor zehn Jahren lebte ich mein altes Leben, das du noch kennst: in einer Partnerschaft, in welcher ich nicht ich selbst war. Unzufrieden, unglücklich. Ich war für meine Kinder da als Mutter, für meinen Partner als Erfüllungsgehilfin. Aber niemals war ich ich selbst. Ich hatte schlichtweg vergessen, wer ich bin.

Das Essen war für mich Nahrungsquelle, Trost, Liebesersatz. Mein Körper reagierte, indem er einen Schutzpanzer um mich legte. Mehr als vierzig Kilogramm Übergewicht zeigte die Waage schließlich an. Wenn ich in den Spiegel schaute, erkannte ich mich nicht. Ich sah eine fremde, dicke, kranke Frau mit traurigen Augen.

Nach dem Ende meiner Beziehung glitt ich immer tiefer in die depressive Stimmung. Ich bewegte mich meist nur noch zwischen Bett und Sofa. Mein Körper rebellierte dagegen: Ich bekam immer öfter Schmerzen beim Treppensteigen, hatte wegen der zunehmenden Magenschmerzen viele schlaflose Nächte. Dadurch war ich tagsüber dauermüde. Ich wollte schlafen, konnte es aber nicht. Es war ein Teufelskreis.

Mein mittlerweile Ex-Partner machte mir das Leben durch gerichtliche Auseinandersetzungen schwer. Die daraus resultierende Mediation endete mit einem Nervenzusammenbruch meinerseits.

Aber dieses Ende war ein Anfang – mein Neuanfang.

In vielen Gesprächen mit einer Therapeutin fand ich heraus aus der Dunkelheit. Irgendwann, im Verlaufe der Treffen, begann ich, wieder Pläne für die Zukunft zu schmieden. Endlich sah ich wieder eine Zukunft für mich. Ich begann, mich wieder um mich zu kümmern. Der erste Schritt war ein Arztbesuch, um meine körperlichen Beschwerden, die Magenschmerzen und Schwindelgefühle abklären zu lassen. Diese erste Konsultation endete beinahe mit einem Notarzteinsatz. Durch zu hohen Blutdruck bekam ich Nasenbluten. Und der Blutdruck wollte und wollte nicht sinken. Nach zwei Stunden konnte ich jedoch die Arztpraxis auf eigenen Füßen verlassen.

Als ob das nicht schon genug Aufregung gewesen wäre, bekam ich einige Tage danach auch noch die Diagnose Autoimmunthyreoiditis mitgeteilt. Diese Erkrankung ist besser bekannt als Hashimoto Thyreoiditis. Es ist eine Entzündung, durch die das Schilddrüsengewebe zerstört wird. Ich war verwirrt und schockiert, denn ich war auf dem besten Weg, meine Schilddrüse zu verlieren.

Was vielen nicht bewusst ist: Die Schilddrüse ist ein zentrales Organ im Hormonhaushalt. Fällt die Schilddrüse aus, gibt es kein anderes Organ, welches diese Funktion übernehmen könnte. Das bedeutet: Schilddrüsenhormone durch Tabletten einzunehmen und zwar lebenslang. Außerdem können vielfältige Begleiterscheinung das Leben schwer machen: Gewichtszunahme durch einen verlangsamten Stoffwechsel, diffuse Schmerzen, Wattegefühl im Kopf und so weiter.

Entrüstet stellte ich auch noch fest, dass viele Frauen in meiner Familie Probleme mit der Schilddrüse haben, aber niemand hat je zuvor mit mir darüber gesprochen. Als ob es ein Tabu wäre. Ich begann zu überlegen, was ich getan hätte, wenn ich schon viel früher von den Schilddrüsenproblemen meiner Familie gewusst hätte. Hätte ich mich wirklich anders verhalten, bewusster gelebt, achtsamer gegessen?

Diese Gedanken waren ein Anstoß für mich, mich mit der aktuellen Situation auseinanderzusetzen. Was konnte ich ab sofort für die Gesundung meiner Schilddrüse tun? Mein Sohn öffnete mir schließlich die Tür zur gesundheitsfördernden Ernährung. Und ich ging hindurch. Ich las alles, was mir zu diesem Thema in die Finger kam. Langsam verstand ich, dass ich selbst meinen Körper jahrzehntelang schlecht behandelt habe: zu viel und zu oft das Falsche gegessen, zu viel Stress und zu wenig Entspannung, vor allem aber immer den Idealen anderer hinterhergelaufen und nicht mit mir im Einklang gelebt, nie beziehungsweise lange nicht mehr in mich hineingehorcht.

Also stellte ich mein Leben auf den Kopf. Ich optimierte meine Ernährung und nahm ab. Ich aktivierte meinen Freundeskreis. Seither gehe ich viel wandern oder in Konzerte und ins Theater. Außerdem habe ich meine Liebe zum Fußball wiederentdeckt und bin zu jedem Heimspiel im Stadion, quasi mein zweites Wohnzimmer. In meiner neuen Partnerschaft bin ich sehr viel fordernder und selbstbewusster. Ich habe wieder Lust auf das Leben und will noch viele Ideen umsetzen und große Pläne verwirklichen.

Irgendwann auf meinem neuen Weg kam ich zu der Erkenntnis, dass die entzündliche Schilddrüsenerkrankung keine vom Schicksal oder den Genen vorgegebene, unabdingbare Sache sei. Dass ich es in den eigenen Händen habe, ob diese Krankheit ausbricht oder nicht. Und dass viel zu viele Frauen davon betroffen sind.

Warum so viele Frauen und so wenige Männer? Und warum gibt es nur wenige Menschen, die diese Entzündung aufgelöst haben und wieder gesund sind?

Das war der Punkt, an dem ich beschloss, anderen Frauen zu helfen. Wenn ich mit oder auch trotz Hashimoto abnehmen konnte, können andere das auch. Wenn ich meine Einstellung zum Leben in eine positive, selbstverwirklichende, wertschätzende und achtsame Lebensweise transformieren konnte, schaffen andere das auch. Es war ein langer und beileibe auch kein einfacher Weg für mich. Es fiel mir oft schwer, mich auf mich zu konzentrieren. Viel Unverständnis schlug mir entgegen, leider auch besonders von meiner Familie.

Wie kann man nur ohne Alkohol leben? Wann höre ich endlich auf mit dieser viel zu gesunden Ernährung? Das Essen muss ja auch noch nach was schmecken. Lieber ungesund essen, als auf irgendetwas verzichten müssen. Du hast so viel abgenommen, davor sahst du viel hübscher aus.

Das sind nur ein paar Beispiele, mit welchen Bemerkungen ich mich auseinandersetzen durfte. Ich habe mich nicht beirren lassen. Trotz aller Widerstände habe ich mein Leben leichter gemacht und bin um mehrere Kleidergrößen schmaler geworden.

Meine Ernährung folgt nun sieben Prämissen: *alkoholfrei, zuckerarm, glutenfrei, milchfrei, saisonal, regional und frisch zubereitet.* Die Zersetzung meiner Schilddrüse ist gestoppt. Die früheren Symptome von Hashimoto Thyreoiditis spüre ich nicht mehr.

Es treibt mich um, dass so viele Frauen unter Hashimoto Thyreoiditis leiden. Dass sie nicht wissen, was sie dagegen unternehmen können. Ihnen gebe ich mein Wissen und meine Erfahrung weiter. Als Ernährungsberaterin begleite ich sie über Wochen oder Monate bei der Umstellung ihrer Ernährung.

Meine Vision ist es, dass die Hashimoto Thyreoiditis und ihre Ursachen oder Auslöser bekannt werden. Diese Erkrankung soll ins Bewusstsein der Menschen und der Mediziner rücken, so wie es auch bei Diabetes der Fall ist. Es sind mindestens genauso viele Menschen von Schilddrüsenerkrankungen betroffen wie es Diabetiker gibt. Aber nur wenige wissen etwas mit dem Begriff Hashimoto anzufangen.
Mein Wunsch ist es, dass Hashimoto Thyreoiditis in der Breite der Bevölkerung als Erkrankung verstanden wird. Dass Betroffene nicht mehr als Simulanten in die Psycho-Ecke gedrängt werden.

Und letztendlich sollen die Menschen von Beginn an bewusster und gesundheitsförderlich leben und essen, so dass Erkrankungen wie Diabetes oder eben Hashimoto Thyreoiditis gar nicht erst entstehen.

Ich füge dir eine Checkliste für deine Ernährung als Geschenk bei.

Du erhältst meinen Minikurs zum Sonderpreis: „Ursachen und Auslöser von Hashimoto": www.peggywolf.de/minikurs-ursachen-und-ausloser-lpbuch/

Peggy Wolf ist Ernährungsberaterin mit besonderem Fokus auf Schilddrüsenerkrankungen. Sie begleitet Frauen in ein leichteres Leben mit Hashimoto.
www.peggywolf.de

---

5 Hol dir das Geschenk zu diesem Kapitel:
www.jyotimaflak.com/geschenke

Erinnere dich, wer du wirklich bist,
du bist die Freude und das Glück
dieser Welt.

Sylvia Annett Bräuning

Die Liebe zur Natur hat uns zum Wandern gebracht -
und wenn wir nun andere durch unsere Worte dafür
begeistern können, dann sprechen wir von wahrem Glück.

Claudia Herr & Anita Becker

Ganzheitliche Farbberatung bedeutet für mich,
Farben erlebbar machen, Sinne berühren, Herzen
öffnen und das individuelle Spektrum der eigenen
Farbgebung zum persönlichen Stil machen.

Dorothea Doris Taferner

AHOI, FAMILIENHAFEN

Als sie den *Pass des Egos* hinter sich gelassen hatte, bei dem sie schon manchmal vor Panik gezögert hatte, kam die Seele endlich auf eine Lichtung.

Dort schlängelte sich der Pfad mit feinen Biegungen an einer Blumenwiese entlang. Die Seele freute sich über diesen Anblick. Ein Schmetterling flog vor ihre Füße.

„Ich möchte so gerne mein Wissen weitergeben. Ich habe solche Lust auf Gesellschaft. Ob ich wohl eine gute Mutter wäre? Was gibt es wohl darüber zu erfahren?" Ihre kleine Stimme plapperte aufgeregt in ihr, ähnlich dem fröhlichen Bachlauf neben dem Weg.

Auf dem Wegweiser stand *Familienhafen, 0,6 km.*

Foto: Jutta Panke

NAMIAH BAUER Kinderwunschexpertin, Seelenbotschafterin, Autorin

AUS DEM HIMMEL BERÜHRT

Ich kenne sie schon lange, genauer gesagt mein Leben lang. Aber sie kennt mich nicht, weiß gar nicht, dass ich existiere. Das macht nichts. Ich werde mich noch früh genug melden und dann werde ich sie überraschen. Sie wird mich nicht wegschicken. Daran glaube ich ganz fest.

Ich habe vergessen, mich vorzustellen. Ich bin eine Kinderseele, die sich ein Leben auf der Erde wünscht. Wenn du in den Himmel schaust, siehst du vielleicht einen blinkenden, goldenen Stern. Das bin ich.

Und wer ist SIE?

Sie ist meine zukünftige Mama. In ihrem Bauch möchte ich wachsen und geboren werden. Aus dem Himmel habe ich ihr Licht auf der Erde gesehen und es war Liebe auf den ersten Blick. Wie sie ihre Haare aus dem Gesicht streift, ihre Sommersprossen auf der Nase, ihre viel zu großen Schritte und sie ist verrückt nach Milchschaum. Ich mag ihren Blick, wenn sie verträumt den Schaum von ihrem Latte Macchiato löffelt. Vom Himmel aus kann ich alles sehen. Wir Seelen haben eine Sternenlichtlampe, mit der können wir auf die Erde leuchten und so unsere zukünftigen Mamas entdecken.

Ich weiß schon lange, dass ich zu ihr kommen werde. Mama Gott und Papa Gott haben ein großes, goldenes Buch und dort stehen alle Seelenpläne drin. Eine Seele hat viele Leben und darf die unterschiedlichsten Erfahrungen machen. Ich habe gelesen, dass ich eine sehr alte Seele bin.

Ein Thema gibt es, welches ich in den verschiedenen Leben noch nicht ganz verstanden habe und jetzt habe ich die Chance zu lernen und mich mit meinen zukünftigen Eltern weiterzuentwickeln.

Meine Sehnsucht nach ihr wird immer größer, ich bin aufgeregt und würde am liebsten schon jetzt den Absprung machen. Doch meine Himmelseltern schütteln den Kopf. Ich darf mich noch etwas gedulden. An manchen Tagen fällt mir das nicht leicht und mein Licht flackert hin und her. Ich möchte meine Mama riechen, berühren, schmecken können. Meine Sinne funktionieren im Himmel noch nicht, dafür muss ich auf die Erde kommen.

Meine Mama ist immer sehr beschäftigt und hat nur ihre Karriere im Kopf. Und sie geht gerne auf Partys, trinkt Alkohol und trifft verschiedene Männer. Die gefallen mir jedoch als Papa nicht. Ein wenig traurig macht es mich, dass sie noch gar keine Gedanken an mich verschwendet. Hoffentlich kann ich sie bald umstimmen.

Warum möchte sie immer eine andere sein? Ihre innere Unruhe gefällt mir nicht, dann ist es schwer, in Kontakt mit ihr zu sein.

Gerade sehe ich, wie sie im Zug nach Hamburg sitzt. Sie wünscht sich, das Provinzleben weit hinter sich zu lassen, genau wie die damit verbundene Langeweile und Mittelmäßigkeit. Meine Mama schaut aus dem Fenster, lässt ihr Leben an sich vorbeifliegen und schwört, dass es ab jetzt anders werden wird – mit Glitzer und Glamour. Ich verstehe nicht, wonach sie sich sehnt. Was ich möchte, ist nur Liebe. In ihrem schicken silbrigen Hosenanzug steigt sie aus dem Zug und stöckelt auf hohen Schuhen zur Alster. Die Sonne spiegelt sich in den Fenstern der weißen Jugendstilvillen, das Wasser plätschert sanft und die Masten der Segelboote machen Geräusche, die an Urlaub erinnern. Willkommen in der Welt der Reichen. Hier glaubt sie, richtig zu sein, ohne zu wissen, dass es darum geht, innerlich reich zu werden. Das Vorstellungsgespräch verläuft gut, sie bekommt den Job und damit sind die Weichen für ein neues Leben gestellt.

Ich bin mir sicher, dass sie ihren Job gut machen wird, sie wird sich da voll reinhängen. Kann sie mich fühlen? Nein, dafür ist sie viel zu busy. Ich werde ihr eine Extraportion Liebe schicken. Direkt in ihr Herz – es wird anfangen zu kribbeln wie in einem Whirlpool und sie wird mich spüren. Hoffentlich.

Der neue Job gefällt ihr und sie genießt das Leben in der Großstadt. Nur einsam fühlt sie sich, möchte sich gerne verlieben und findet nicht den Richtigen. Sie mag nicht verstehen, warum alle Männer, die sie trifft, ihr nicht gefallen. Sie schaut sie mit einem anderen Blick an – einen Partymacher will sie nicht, zu jung darf er auch nicht sein... eher einen Vater für ihr Kind. Dieser Gedanke taucht immer wieder

auf und sie schiebt ihn beiseite. Weit weg. Und trotzdem ist dieses Gefühl da: der Wunsch nach einem Kind. Sie schüttelt sich, weil sie es noch nicht wahrhaben will, dass ihr Leben sich ändern möchte. Wenig später spürt sie ein Kitzeln in ihrer Brustmitte, als ob jemand sie mit einer Feder streichelt. Automatisch richtet sie den Blick in den Himmel.

Vielleicht hat sie mich entdeckt…

Ich habe Freude im Himmel, weil ich spüre, dass meine Liebe ankommt. Meine Mama ist umhüllt von einem Zauber, den ich an ihr noch nicht kenne. Die Verbindung wird enger und ich drehe mich schon mal in Startposition Erde. Ein wenig dauert es noch, aber nicht mehr lange.
Ich weiß, dass es nicht bei allen Kinderseelen so einfach funktioniert. Ich habe ein riesengroßes Glück, dass ich schon bald kommen darf und nicht in der Warteschlange stehen muss. Oder künstlich gezeugt werde im Reagenzglas…
Hier oben im Himmel gibt es tatsächlich Kinderseelen, deren Aufgabe es ist, erst einmal ihre Eltern warten zu lassen – manchmal sogar sehr lange. Für die Seelen ist das vollkommen in Ordnung, weil sie keinen Zeitplan haben, aber für ihre Eltern ist das nervenaufreibend. Ich kenne die Gesichter der traurigen Eltern, die sehnlichst auf eine Kinderseele warten. Am liebsten würde ich ihnen ins Ohr flüstern: „Fühle in dein Herz und schaffe eine Verbindung zu der Seele. Hab Vertrauen! Die Kinderseele wird zu dir finden."

Ich bin gerade sehr beschäftigt, denn ich lasse Sternenlicht auf die Erde fallen, dieses Mal zu einer anderen Stelle: zu einem Mann, der sich gerade einsam fühlt und sich so gerne wieder verlieben möchte. Er hat ein riesengroßes Haus, genug Geld, einen Job, den er liebt und trotzdem fühlt er sich leer. Oft sitzt er gedankenversunken in seinem Lieblingscafé und merkt gar nicht, dass dort eine Frau sitzt, die ihn die ganze Zeit beobachtet.

Ja, das ist meine Mama. Sie sitzt in diesem Café, weil sie hofft, dort ihren Traummann zu treffen. Sie weiß, hier wird sie auf interessante Männer treffen, die anders sind als alle, die ihr bisher über den Weg gelaufen sind. Tatsächlich fällt ihr Blick auf einen Mann, dessen Augen sie faszinieren. Heimlich beobachtet sie ihn und beschließt, ab jetzt regelmäßig in dieses Café zu kommen. Und so trinkt sie täglich zur gleichen Uhrzeit ihren Latte Macchiato, um diesen geheimnisvollen Mann zu treffen. Wahrscheinlich hätte sie das noch monatelang gemacht, aber heute fühlt sie sich mutig und spricht ihn an. Natürlich mache ich Freudensprünge im Himmel: Meine Eltern haben sich gefunden und zu ihnen möchte ich kommen. Und ich schütte einen ganz besonderen Sternenstaub in das Café und in ihre Herzen. Tatsächlich verabreden sich die beiden. Es dauert nicht lange und sie werden ein Liebespaar.

Mit einem Mal vergisst sie ihre Karriere, sie fängt an, sich für andere Dinge zu interessieren und hat keine Lust mehr auf Partys. Sie möchte nur mit diesem Mann zusammen sein, der viel älter ist als sie. Er gibt ihr ein Gefühl von Sicherheit und Angekommen sein. Der Babywunsch wird von Tag zu Tag größer und das verliebte Paar macht einen Weihnachtsurlaub in den Bergen.

Ich mag die hohen Berge und den weißen Schnee, in dem sich das Kristalllicht spiegelt. Stundenlang kann ich die Schneeflocken beobachten, wie sie aus dem Himmel fallen, und ich möchte mit ihnen tanzen. Die Stille und das goldene Licht der Weihnachtstage gefallen mir. Das ist der perfekte Zeitpunkt – das ist nun meine Zeit.

Ich spüre, wie ein Sog mich nach unten zieht, ganz leicht und gleichzeitig wird er auch immer stärker. Ich verabschiede mich von meinem himmlischen Zuhause und es geht wieder ein Stück tiefer in Richtung Erde. Was bin ich froh, dass mein Schutzengel dabei ist, sonst käme ich mir sicher verloren vor. Natürlich sehe ich auch noch viele andere Engel und sie machen meinen Weg leichter. Ein wenig Angst ist auch dabei. Was erwartet mich wohl auf der Erde?

Oh, jetzt gehts los. Ich wirbele hin und her, der Sog wird größer, mein ganzes Licht wird zusammengepresst. Alles geht extrem schnell. Ich spüre den Aufprall und lande in einer warmen Höhle, noch etwas dunkel und trotzdem schön. Hier werde ich die nächsten neun Monate wohnen – das ist mein neues Zuhause. Allerdings werde ich als Seele die nächste Zeit weiterhin auf Reisen sein – vom Himmel auf die Erde, von der Erde in den Himmel. Immer wieder. Keine Sorge, ich werde bleiben, weil ich

das Leben kennenlernen möchte. Mit allem, was dazu gehört. Ich bin glücklich, weil ich endlich bei meiner Mama gelandet bin.
Und meine Mama?

Sie wirft ihre Karrierepläne über Bord, nachdem sie erfahren hat, dass sie schwanger ist. Von da an dreht sich ihr Leben um 180 Grad. Neun Monate später werde ich geboren und überglücklich hält meine Mama mich – ihre Tochter – in den Armen.

Vielleicht hast du es schon geahnt... Diese Mama bin ich und ab hier werde ich die Geschichte weitererzählen.

Das Muttersein gefällt mir so sehr, dass ich mir schon nach kurzer Zeit ein weiteres Kind wünsche. Und schon allein bei diesem Gedanken macht sich eine weitere Kinderseele auf den Weg. Ich spüre regelrecht, wie sie aus dem Himmel springt. Kinderkriegen scheint bei mir leicht zu gehen.
Das große Erwachen passiert viel später, als ich mir ein drittes Kind mit meinem zweiten Mann wünsche. Die Sehnsucht ist groß, aber ich werde nicht schwanger und falle in eine tiefe Lebenskrise. Im tiefsten Schmerz entdecke ich das schönste Geschenk: meine Fähigkeit, mit Kinderseelen zu kommunizieren. Ich entscheide mich, von da an meine Berufung zu leben und werde Kinderwunschberaterin.

Aus voller Überzeugung kann ich sagen: Die Kinder zeigen uns den Weg in unsere Erfüllung und sind voller Überraschungen – im Himmel und auf der Erde.

Namiah Bauer – Kinderwunschexpertin, Seelenbotschafterin, Autorin. Seit über 10 Jahren begleitet sie Frauen auf ihrem Weg zum Wunschkind und bildet mittlerweile auch Frauen zu Kinderwunschberaterinnen aus. Ihr Buch „Freudensprung. Wie das Wunschkind leichter zu dir kommt" hat schon tausende Frauen begeistert.
www.namiahbauer.de
Der neue Kinderwunsch-Guide von Namiah ist eine Hilfe, noch tiefer in die Seelenwelt einzutauchen. Er stärkt auf dem Weg in die Kinderwunschklinik und ist auch für Sternenkindermütter gedacht. **www.kinderwunsch-alternative-methoden.de/guide**

---

6 Hol dir dein Geschenk hier ab:
www.jyotimaflak.com/geschenke

Foto: Manuela Engelking

CORNELIA ZIT Kinesiologin, Cranio-Sacral Therapeutin, Energetikerin

WIE DU INNERE VERSTRICKUNGEN LÖST, UM ÄUSSERE FREIHEIT ZU GENIESSEN

Als ich eines Tages wieder einmal meine alltägliche Runde durch den Wald ging und dabei an meinem Lieblingsplatz am Bach vorbeikam, entdeckte ich eine Seele, die am Bachufer saß und verträumt ins Wasser blickte. Ich setzte mich zu ihr und so sahen wir eine Zeit lang gemeinsam dem Wasser zu, wie es sich unbeirrt seinen Weg über, unter und neben den Steinen suchte und fröhlich dahin plätscherte.

Nach einer gewissen Zeit der Stille, des Träumens und Nachdenkens hatte ich das Gefühl, dass der Seele etwas am Herzen brannte. So fragte ich sie: „Ist alles in Ordnung, geht es dir gut?"

Als ob sie genau darauf gewartet hatte, kam es wie ein Wasserfall aus ihr hervor: „Kommt ganz darauf an, wie man es sieht. Im Großen und Ganzen kann ich nicht klagen, doch wenn ich genauer in mich hineinhorche, merke ich, dass etwas nicht stimmig ist. Weißt du, ich habe ein schönes Leben, bin glücklich verheiratet, habe zwei Kinder, Marlen ist 11 und Jakob 8 Jahre alt. Meine Kindheit war sehr schön, der einzige Wermutstropfen war die Schule. Ich wollte immer eine gute Schülerin sein, was mir jedoch nicht unbedingt gelang und somit machte ich mir selbst einen enormen Druck. Daraus resultierte meine Prüfungsangst, vor schriftlichen Arbeiten war ich total nervös und bei Referaten war ich heilfroh, wenn ich sie halbwegs ohne Stottern, Stammeln und nassen Achseln hinter mich brachte. Meinen Eltern war wichtig, dass ich eine gute Ausbildung bekam, wofür ich ihnen sehr dankbar bin, und ich somit einen Job habe, der mich bis vor kurzem noch erfüllte. Mein Mann arbeitet viel und so bleiben an mir das ganze Familienleben und der Haushalt hängen. Aber weißt du, was mich am meisten belastet? Die Schule! Marlen spiegelt mir so vieles aus meiner Schulzeit, sodass ich das Gefühl habe, selbst wieder die Schulbank zu drücken. Ständig kommen Erinnerungen von damals in mir hoch. In meinen kühnsten Träumen hätte ich mir nicht vorstellen können, dass genau dann, wenn meine Kinder in der Schule sind, all meine eigenen Schulerfahrungen wieder aufploppen. Ich bin jedes Mal wie vor den Kopf gestoßen, all die Gefühle von damals sind wieder da und zusätzlich noch die Angst, als Mama zu versagen. Ein super Cocktail ist das! Da gibt es Momente, in denen ich am liebsten davonlaufen würde. Dazu kommt noch, dass Marlen immer mehr einfordert, auf eigenen Beinen zu stehen, ich sie somit weiter loslassen muss. Och, ich sage dir, dass ist echt nicht einfach für mich. Ich, die sonst immer alles im Griff und unter Kontrolle hat.

Zusätzlich kommt noch dazu, dass sich gerade jetzt eine leise, zarte Stimme in meinem Herzen meldet, dich mich irritiert und verwirrt, da ich nicht weiß, was sie will und was ich mit ihr machen soll. Wegen ihr sitze ich jetzt hier an diesem wunderbaren Platz, um mehr über sie herauszufinden. Eine Vermutung habe ich bereits. Ich erwähnte schon, dass mich mein Job bis vor kurzem noch erfüllte. Da hat sich aber in letzter Zeit so viel verändert, dass ich nicht mehr glücklich damit bin. Ich glaube, diese zarte Stimme möchte mir diesbezüglich einen Hinweis geben, den ich aber nicht verstehe. Was sollte ich denn beruflich sonst tun? Kennst du so ein Gefühl, verstehst du was ich meine? Kannst du mir erklären, was sie will?"

„Ja, ich glaube schon, dass ich dich verstehe. Mir ging es vor einigen Jahren ähnlich. Ich kam zu dem Punkt, an dem ich wusste, dass ich meine damalige Arbeit sicher nicht bis zur Pensionierung ausüben wollte. So streckte ich meine Fühler aus und habe jetzt eine Arbeit, die mich voll und ganz erfüllt, die meine Berufung ist. Auch bei meinen Klientinnen ist dies oft ein großes Thema."

„Wieso Klientinnen, was machst du?"
„Ich bin Kinesiologin, Cranio-Sacral Therapeutin und Energetikerin und darf viele Frauen unterstützen, denen es genauso geht wie dir."

„Oh, das klingt ja wunderbar. Erzähl mir doch bitte mehr davon, was machst du da, was kann ich darunter verstehen?"

So berichtete ich ihr von meiner Arbeit: „Zu mir kommen viele Frauen und auch Kinder mit Themen, die sie sehr blockieren und somit belasten. Das können zum Beispiel sein: Familie, Schule, Partnerschaft, Beruf und so weiter. Mein Ansatz ist der energetische zu diesen Themen. Zum Leben brauchen wir nicht nur unseren physischen Körper sondern auch unseren energetischen Körper. Ohne unseren Energiekörper können wir nicht leben. Dieser speichert all unsere Erfahrungen, die wir in unserer Lebenslaufbahn machen. Da sind auch Lebenserfahrungen dabei, die nicht schön waren, die wir sogar vergessen oder verdrängt haben. Genau diese Lernerfahrungen können uns unterbewusst belasten oder sogar bei neuen Entscheidungen hindern beziehungsweise blockieren. In unserem Energiekörper können jedoch noch andere Dinge gespeichert sein. Zum Beispiel Fremdenergien, Emotionen – eigene sowie übernommene, unverarbeitete Themen unserer Ahnen, verschiedenste Belastungen und noch vieles mehr.

Wenn jemand das erste Mal zu mir kommt, hat der Energiekörper absolute Priorität, da wird gereinigt und geschrubbt, um so viele negative Energien wie möglich loszuwerden. Danach fühlen sich meine Klienten richtig befreit und leicht. Bei so manchem sind sogar körperliche Schmerzen oder Symptome, die sie schon jahrelang hatten und wo schulmedizinisch nichts gefunden wurde, auf einmal weg. Anschließend entstresse ich meine Klienten mit einer ganz simplen Übung, die jeder auch zu Hause selbst machen kann, egal welchen Stress man gerade hat. Wenn du möchtest, zeige ich sie dir."

„Oh ja, bitte, sehr gerne."

„Weißt du, liebe Seele, was bei meiner Arbeit für viele besonders spannend ist? Wenn ich einen Blick in ihr Familiensystem werfe. Da lösen wir Verstrickungen auf und geben Schwere zurück. Du kannst dir wahrscheinlich gar nicht vorstellen, wie sehr uns unsere Ahnen geprägt haben und was wir alles freiwillig für sie tragen. Des Weiteren decken wir auch Glaubenssätze auf, die dich sehr beeinflussen und dich an deinem Handeln hindern können, und wandeln diese in positive Sätze um. Sie werden somit transformiert und können dich dann stärken. Auch mit Cranio-Sacral erreiche ich so viel Positives - vor allem bei Kindern mit Schulproblemen. Apropos Schulthema: wenn du mit deinem Kind diesbezüglich zu mir kommst, darfst du dich als Mama ebenso von mir verwöhnen lassen. Du bist mit deinem Kind energetisch so eng verbunden, dass ihr euch gegenseitig spiegelt und triggert. So kann das Thema Schule ein richtiger Hotspot bei euch zu Hause sein. Ich habe da schon vielen hunderten Familien Entspannung in ihren Alltag bringen dürfen, sodass die Mütter ihre Kinder nun unterstützen und stärken können. Gerade bei diesem Thema spielt dein inneres Kind eine große Rolle. Da kommen oft plötzlich und unerwartet alte Verletzungen deiner eigenen Schulzeit hoch, denen du völlig ausgeliefert und somit auch überfordert bist. Für mich heißt es dann, dein inneres Kind zu besuchen, es zu befreien und zu integrieren, sodass du mit ihm wieder im Einklang bist. Dies ist sehr heilsam für dich. Jedes Mal, wenn ich dies machen darf, ist es auch für mich ein sehr schöner, berührender Moment, wenn das innere Kind wieder gesehen und angenommen wird.

Sehr gerne beziehe ich die Natur in meine Arbeit mit ein. Sie hat so viel Kraft, Potential und Schönheit, sie tut uns so gut. Durch sie können wir so viel lernen und uns richtig stärken, um unseren Alltag mit Leichtigkeit zu leben. Ich empfinde die

Natur als wahre Energietankstelle, an der sich jeder auftanken kann. Dabei nehme ich dich mit in die Natur, liebe Seele. Sehr gerne gehe ich mit dir in den Wald, so wie jetzt gerade, öffne deine Sinne und leite dich an, zum Beispiel mit Meditationen oder Erdungsübungen. Außerdem öffne ich deine Chakren, damit du diese wunderbare Energie besser aufnehmen kannst. Hach, liebe Seele, ich kenne so viele wundervolle Übungen, die ich mit dir teilen möchte. Es würde dir bestimmt gefallen, da durch den Einfluss des Waldes dein gesamtes System herunterfährt und sich beruhigt. Nach unserer Einheit in der Natur fühlst du dich wie neugeboren, da sie dir vieles transformiert und auch vieles mitgibt.

Liebe Seele, wie du siehst, bewirken die Sitzungen bei mir sehr viel. Es werden dabei deine inneren Verstrickungen, welche dich sehr blockieren und behindern können, gelöst, damit du deine äußere Freiheit so richtig genießen kannst.
Nach jeder Session wirkt die Energie noch länger nach, was zum Beispiel dazu führen kann, dass du sehr müde wirst."

„Das klingt ja alles sehr interessant und spannend. Kannst du in meiner Situation auch etwas tun?"

„Ja, ich würde genauso arbeiten wie soeben beschrieben und mit dir gemeinsam die zarte Stimme lauter werden lassen, damit du erkennen kannst, wo dein Weg, deine Berufung hingehen soll und wie du diese dann selbstbewusst und kraftvoll begrüßen kannst."

6 Monate später: „Cornelia, ich bin dir für all dein Tun so dankbar. Die Schule ist kaum noch ein Thema bei uns zu Hause, da ich nun das tiefe Vertrauen habe, dass meine Kinder ihren Weg gehen werden. Durch deine Arbeit habe ich nun endlich zu mir gefunden, bin selbstbewusster und selbstsicherer geworden und weiß, wohin mich mein Weg führen wird und dass ich diesen auch gehen werde. Ich kenne nun meine Aufgabe für die Zukunft und freue mich sehr darauf. Mein Traum wird durch deine Unterstützung wahr. Danke, danke, danke!!!"

„Liebe Seele, das freut mich sehr für dich, denn genau das ist meine Mission.
Ich möchte dir noch gerne ein paar Denkanstöße mitgeben. Du hast nun selbst erleben dürfen, wie wichtig es ist, auf sein Inneres zu hören und danach zu handeln. Jede Seele ist für sich ein eigenes Individuum und hat ihren Auftrag mitbekommen, den sie so gut wie möglich erfüllen soll. Meist ist es uns jedoch nicht bewusst, was dieser ist. Dies kann sich körperlich wie seelisch ausdrücken. Wir sind unrund, wissen nicht, was wir wollen, haben Schmerzen, Verspannungen, sind unzufrieden oder unglücklich...
Die Seele ist jedoch auch hier auf Erden, um neue Erfahrungen und neue Erkenntnisse zu machen, die sie für ihr Wachstum braucht.

Die reine Seele ist eine bezaubernde Essenz, die es zu schützen gilt. Durch sie hat jeder von uns einen wunderbaren Wesenskern, der durch unsere Erfahrungen, die wir im Leben machen dürfen, sehr beeinflusst ist.

Wie du nun weißt, gibt es Möglichkeiten, um seine Seele zu unterstützen und seinen Auftrag herauszufinden. Wenn du glücklich und zufrieden bist, dann kannst du dir sicher sein, dass du deinen Seelenweg gehst. Denn nur so kann deine Seele leuchten und alles überstrahlen.

Denke daran, es ist das Geburtsrecht jeder Seele, glücklich zu sein.

Hol dir meine inspirierenden Tipps im Wald: https://bit.ly/2IGToHd

---

Cornelia Zit ist Kinesiologin, Cranio-Sacral Therapeutin sowie Energetikerin. Sie begleitet Frauen und Kinder in die Neue Zeit, um diese besser zu verstehen, wahr zu nehmen und zu nutzen, wodurch sie vertrauensvoll, selbstbewusst, kraftvoll nach vorne blicken und ihre Träume wahr werden lassen können.
www.kinesiologie-zit.at

7 YEAH. Hol dir auch hier ein Geschenk ab:
www.jyotimaflak.com/geschenke

Mein Seelenpfad: Ich bin einmal quer durch die Welt, mit der Abenteuer-Achterbahn mehrmals quer durch den Himmel und zurück auf die Erde gereist, um dich nun an meinen Geschichten und vor allem Erfahrungen teilhaben zu lassen.

Sarina Rottmann

Dein Bauchgefühl ist dein allerbester Freund, dessen einzigartige Sprache es mehr als wert ist, verstanden zu werden.

Susanne Schubert

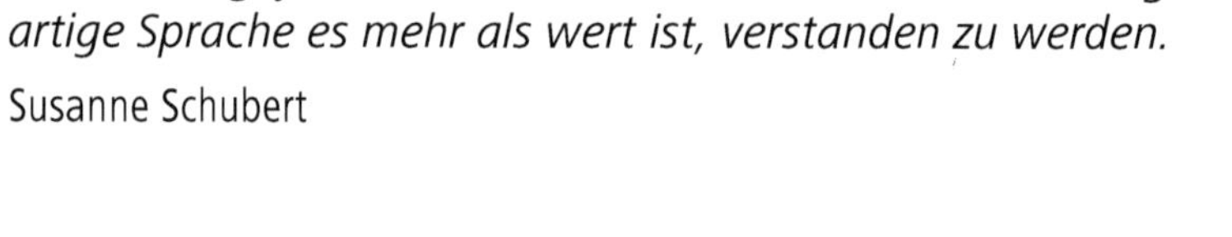

Erfolgreiche Menschen stehen ein Mal mehr auf als die erfolglosen.

Guido Steinberg

ZU GAST IN DER OASE DER SELBSTLIEBE

Sie hatte sich verlaufen, irgendwo war sie vom Weg abgekommen. Es war so neblig, dass sie kaum etwas vor sich sah: „So kann ich gar nicht weiter laufen."

Die Seele setzte sich auf einen Stein und packte ihr Köfferchen aus. Sie hatte extra eine kleine Lampe eingepackt. Die zündete sie jetzt mit einem Streichholz an. Hinter der Glasscheibe flackerte das Licht eines Teelichts. Die Seele stellte es vor sich auf und nahm tiefe Atemzüge: „Meditieren hilft", hatte sie gehört. „Doch wie fange ich an? Einfach mal atmen." Ihr Herz beruhigte sich mit jedem Atemzug und der Nebel in ihr verzog sich.

Sie muss wohl eingeschlafen sein, denn als sie aufwachte, war es Tag und der Nebel war verschwunden.

Sie sah unten den Weg. Sie schlug den Weg ein, der sie nun aber ganz sicher zum Leuchtturm bringen würde. Dort leuchtete der Weg bereits hell in der Sonne.

ALOKA LEVITIN Therapeutin & Coach

WIE GEHT BEZIEHUNG? WIE GEHT LIEBE?

„Puh“, sagte die Seele und ließ sich erschöpft auf die nächste Parkbank fallen. „Da gibt es ganz schön viel, was einem so begegnet auf der inneren Suche.“ Sie wollte sich etwas entspannen und tief Atem holen.

Dabei fiel ihr Blick auf ein Pärchen, das an ihr vorüber lief. Sie konnte nicht hören, was sie sagten, aber an deren Energie konnte sie erkennen, dass sie sich intensiv über etwas austauschten oder womöglich sogar stritten. Das betrübte die Seele, denn sie beobachtete dies so oft. Paare, die sich liebten, die aber nicht miteinander auskamen und sich gegenseitig unglücklich machten. Wieso war das so? Warum können Menschen nicht einfach nur lieben und glücklich sein miteinander?

Da spürte sie einen tiefen Stich in ihrem Herzen, denn sie wurde sich bewusst, wie sehr sie sich selbst nach einer erfüllten Liebesbeziehung sehnte. Aber wie geht das? Wie geht Liebe wirklich?

Ihr wurde klar, dass dies eine Frage war, die sie nicht mehr so schnell los ließ und sie beschloss herauszufinden, was das Geheimnis glücklicher Beziehungen sei und ob es da wohl einen Zusammenhang gäbe mit der Suche nach ihrer Berufung.

Als sie so in Gedanken verloren dasaß, setzte sich eine Frau neben sie auf die Bank. Die Frau strahlte Ruhe und Kraft aus und etwas in ihrem Lächeln verriet, dass sie sich über irgendetwas freute. Da die Seele sehr neugierig war, konnte sie nicht umhin die Frau anzusprechen, was sie denn so amüsierte.

Und die Seele sagte: „Entschuldigen Sie, aber was macht sie denn so fröhlich?“

Die Frau schaute die Seele an und sagte: „Ich schmunzle über das Pärchen, das da gerade streitend vorbeilief. So ging es mir auch einmal, aber das ist zum Glück eine ganze Weile her und mein Leben und meine Beziehung haben sich mittlerweile komplett verändert.“

Jetzt wurde die Seele aufmerksam und richtete sich auf. Das interessierte sie natürlich brennend: „Oh, darf ich fragen, was Ihnen passiert ist?"

„Wenn es Sie interessiert, sehr gerne. Mein Mann und ich waren noch nicht lange zusammen, da fingen unsere ersten Probleme an. Er war oft abwesend und in seinen Gedanken verloren. Wenn ich ihn darauf ansprach, wirkte er gereizt und sagte: ‚Was willst du denn, ich bin doch hier.' Ich hatte zunehmend das Gefühl, alleine zu sein, nicht wirklich von ihm gesehen und wertgeschätzt zu werden und ich fühlte mich sehr traurig. So hatte ich mir eine Beziehung nicht vorgestellt. Ich träumte von meinem Prinzen und wie er mich auf Händen trägt und mir jeden Wunsch von den Augen abliest, aber davon waren wir weit entfernt.

Ich wurde mit der Zeit immer unzufriedener. Jede Kleinigkeit fing an, in Streit auszuarten und schaukelte sich hoch. Was auch immer ich sagte, mein Mann fühlte sich bedrängt und unter Druck. Ich reagierte darauf beleidigt und zog mich zurück und fühlte mich immer ungeliebter. Wir entfremdeten uns zunehmend und ich wusste nicht mehr weiter."

Gespannt lauschte die Seele. ‚Das war ja wirklich berührend', dachte sie sich und ihr wurde bewusst, wie vielen Paaren es ebenso ging. Nein, das wollte sie nicht, so wollte sie die Liebe nicht leben. Da musste es doch auch andere Wege oder Lösungen geben. Und offenbar hatte diese Frau, die neben ihr saß, ihre Lösung gefunden.

Die Frau sagte: „Entschuldigen Sie, dass ich hier so frei erzähle, aber diese Sache hatte mich damals sehr belastet und mich emotional ganz schön mitgenommen. Jetzt, da ich darüber rede, wird mir das noch einmal bewusst."

Die Seele sagte aufmunternd: „Aber nein, ganz im Gegenteil, das interessiert mich wirklich sehr. Wie ging es denn weiter, konnten Sie Ihr Problem lösen und verändern?"

Erleichtert sprach die Frau weiter. „Na dann erzähle ich Ihnen gerne, wie es für mich weiter ging, denn für mich hat sich damals alles verändert und ich bin heute noch so froh und dankbar, diesen Weg gefunden zu haben."
Sie fuhr fort: „Als ich spürte, dass es in meiner Beziehung so nicht mehr weiter gehen kann, weil es mich auffrisst und wir kurz vor der Trennung standen, beschloss ich, mir Hilfe zu holen. Ich surfte im Internet und fand eine Frau, die mich ansprach und die Therapeutin und Beziehungscoach war. Je mehr ich von ihr zu diesem Thema hörte, desto mehr hatte ich das Gefühl, sie kann mir helfen. Mir gefiel ihr tiefes Verständnis über dieses Thema und die Erfahrung, die sie hatte und mit welchen unterschiedlichen Methoden sie arbeitete. Ich entschied mich, mit ihr zu arbeiten und, was soll ich sagen, bereits nach ein paar Wochen hat sich meine Beziehung total gedreht und wir sind heute noch zusammen."

„Oh, wie interessant", sagte die Seele. „ So was kann man übers Internet machen heutzutage?"
„Ja natürlich, das war auch überraschend für mich, wie tief das gehen und wie man sogar in einer Gruppe zusammen kommen kann und gemeinsam stark wird. Aber jetzt erzähle ich weiter. Es ist so viel passiert, geheilt und transformiert worden, wo fange ich da am besten an?
Also, die wichtigste Erkenntnis für mich war, dass die Liebe, nach der ich mich sehnte, bereits in mir war. Am Anfang konnte ich das nicht sehen und verstand es auch nicht, ich wollte ja die Liebe von meinem Mann haben. Aber je mehr ich meine alten Verletzungen und Prägungen heilte und mir bewusst wurde, wie diese immer noch mein Leben und meine Erwartungen an meinen Mann bestimmten, desto mehr verstand ich, dass meine Beziehung im Grunde genommen ein Spiegel dafür war, wie wenig ich mich selbst liebte und annahm."

Die Seele schaute etwas verständnislos drein: „Was meinen Sie damit?"
Und die Frau sprach weiter: „Ich hatte hohe Erwartungen an meinen Partner, er sollte mir die Liebe und Zuneigung geben, die ich bereits als Kind nicht bekommen hatte. Mir wurde bewusst, dass da eine tiefe Wunde in mir war, die nur ich selbst heilen konnte. Selbst wenn mein Mann mir alle Liebe der Welt gegeben hätte, ich hätte sie gar nicht annehmen können, weil in mir immer noch der Glaube war, dass ich nicht liebenswert sei."

In der Seele regte sich ein neues Verständnis und Bewusstsein, da sie das bisher auch noch nie so gesehen hatte. Neugierig schaute sie die Frau an.

„Im Laufe der Arbeit wurden mir meine inneren Einstellungen und begrenzenden Glaubenssätze bewusst und wie diese negativ mein Leben bestimmten. Mir wurde klar, dass ich ständig in einer Reaktion mit meinem Mann war, wenn diese Themen getriggert wurden. Kein Wunder, dass wir Probleme hatten. Und dann, als mir bewusst wurde, dass ich das alles gar nicht mehr bin, sondern dass die Stimmen, Gefühle und Verletzungen aus einer Zeit stammten, als ich noch klein war, konnte ich Abstand dazu bekommen. Ich konnte diese verletzten Anteile in mir heilen und loslassen, so dass sie mich heute nicht mehr bestimmen und mich unbewusst in der Vergangenheit gefangen halten. Jetzt fühle ich mich so frei, denn mir wurde klar, dass ich heute immer eine Wahl habe."

Fasziniert von dieser Geschichte wusste die Seele nicht, was sie dazu sagen sollte. Erst war die Frau so unglücklich und jetzt fühlte sie sich frei. Was war denn da passiert und wie ging es weiter?

„Durch das Annehmen meiner eigenen verletzten Anteile konnte ich auf einmal auch verstehen, wieso mein Mann oft so reagierte und ich sah ihn mit anderen Augen. Ich fing an, tiefes Mitgefühl für ihn zu haben und für seine Geschichte, die er mit sich trägt und hörte auf, mich als Opfer von ihm zu sehen. Dadurch änderte sich unsere Beziehung von Grund auf. Ich hörte auf, an ihm zu ziehen, beschwerte mich nicht mehr und beschloss, mich selbst an die erste Stelle zu setzen. Ich schaute, dass es mir gut ging, tat Dinge auch alleine und fing tatsächlich an, mich selbst zu lieben und anzunehmen, wie ich bin. Erst hatte ich Angst, dass wir uns dann noch mehr entfernen würden, aber genau das Gegenteil passierte. Als ich meinem Mann den Raum gab, den er brauchte, konnte er auf mich zugehen. Er fand mich zunehmend attraktiver und er spürte, dass sich etwas in mir verändert hatte, das er anziehend fand. Wir redeten viel mehr als früher und begegneten uns auf einer tieferen und intimeren Ebene, nach der ich mich immer gesehnt hatte."

Mit großen Augen schaute die Seele die Frau an: „Was für eine tolle Geschichte", sagte sie. „Was für eine Veränderung da passiert ist."
„Ja", sagte die Frau, „aber das beste ist, dass ich in diesem Prozess wie so einen inneren Schatz in mir gefunden habe. Ich habe einen tieferen Zugang zu mir selbst und meinem Wesenskern gefunden. Als ich meiner inneren Frau begegnet bin, war das ein Schlüsselmoment für mich."

„Ihre innere Frau? Das ist ja sehr interessant. Ich wusste gar nicht, dass es so etwas gibt. Bitte erzählen Sie mehr", bettelte die Seele.

„Ja, das ist wirklich sehr interessant. Wir alle haben innere weibliche und männliche Anteile in uns, egal, ob wir Mann oder Frau sind. Und je nachdem wie diese Anteile in uns im Ausgleich sind, sind wir verbunden mit uns selbst und unserer Kraft. Als ich die Schönheit, Sanftheit aber auch weibliche Ur-Kraft in mir spürte, hatte ich das Gefühl, wieder Zugang zu etwas in mir zu bekommen, zu dem ich mich tief verbunden und erfüllt fühlte, etwas nach dem ich mich schon immer gesehnt hatte. Es war, als wenn sich mein Körper, meine Seele an etwas in mir erinnerte, das ich schon immer gekannt habe, aber keinen Zugang dazu hatte. Eine Fähigkeit zur Liebe, die eine unglaubliche Kraft besitzt und alles in meinem Leben heilen kann. Als ich mit dieser Liebe in Kontakt kam, spürte ich eine tiefe Erfüllung in mir. Und ich verstand, dass die wahre Fülle und Erfüllung, die ich suchte, in mir ist und wir Frauen im Grunde sehr leichten Zugang dazu haben können, einfach auch weil wir Frauen sind. Oft leben wir in unseren Beziehungen zu viel männliche Energie. Wir kontrollieren, organisieren und fühlen uns oft für alles verantwortlich. Wir kämpfen und ziehen an unseren Partnern, wenn wir nicht die Liebe und Aufmerksamkeit bekommen und verlieren dadurch all unsere Kraft. Dann rutschen wir in den kindlichen Anteil von uns und fühlen uns abhängig, abgelehnt und ungeliebt. Ein ewiges Spiel. Und ich bin so froh, einen Weg kennengelernt zu haben, der das beendet hat."

„Wow", sagte die Seele und war sehr beeindruckt von den Möglichkeiten, die uns das Leben gibt, wenn wir uns dafür öffnen und sie annehmen können. „Wie haben Sie denn all das erkennen und lernen können?"

„Indem ich gelernt habe, Bewusstsein in mein Verhalten und meine Gefühle zu bringen und diese aus einer anderen Perspektive zu betrachten. So konnte ich altes Denken und Fühlen loslassen und mich für etwas Größeres in mir öffnen, wo ich Zugang finde zu meinem wahren Selbst. Da bin ich frei und selbstbestimmt und habe eine Wahl, wie ich mein Leben und somit auch meine Beziehung gestalten möchte. Das war mein Heilweg. Heute sind mein Mann und ich immer noch zusammen. Das ist wirklich ein Geschenk. Die Veränderung, durch die ich ging, beeinflusste auch meinen Partner. Ich glaube immer dann, wenn man sich verändert, verändert sich automatisch auch das Außen. Das hat wohl mit der Energie zu tun. Mein Mann staunt immer wieder, was für eine andere Ausstrahlung ich jetzt habe. Und ja, ich fühle mich nicht mehr als Opfer meiner Umstände, sondern ich weiß, dass ich die Verantwortung trage und die Fähigkeit in mir habe, mein Leben eigenmächtig zu leben. Das gibt mir viel Kraft und ich spüre hier einen tieferen Sinn, der auch meine anderen Lebensbereiche positiv beeinflusst und verändert hat. Ich habe endlich das Gefühl, ich bin bei mir angekommen."

Da wurde die Seele plötzlich ganz traurig, als sie das hörte. Sie spürte zum einen die tiefe Sehnsucht, auch eine erfüllte und liebevolle Beziehung zu haben. Zum anderen spürte sie auch jetzt wieder diese Sehnsucht, warum sie sich eigentlich auf diesen Weg gemacht hatte: nämlich ihre Berufung zu finden. Irgendwie dachte sie immer, dass das etwas mit ihrem *Beruf* zu tun hätte und sie müsse sich Wissen aneignen, das ihr den Weg zeigen würde. Jetzt öffnete sich aber eine andere Erkenntnis in ihr und sie spürte, dass der Weg zu sich selbst, der Weg zu ihrem inneren *Ruf* sei. Und aus dieser tieferen Verbindung entsteht dann ihre Berufung.

Da spürte sie eine große Freude in sich. Durch diese Frau hatte sie einen Weg erfahren, wie es wirklich möglich ist, erfüllte und liebende Beziehungen zu führen. Das gab ihr unheimlich viel Hoffnung. Sie spürte, wie sich dabei ihr Herz öffnete und ganz groß wurde. Auch sie selbst könnte das finden! Und noch viel mehr! Was hatte die Frau da gesagt? Sie habe sich selbst über diesen Weg gefunden und ist ganz bei sich angekommen und damit hat sich alles in ihrem Leben positiv verändert?

„Das ist so eine berührende und inspirierende Geschichte, die Sie erlebt haben. Können Sie mir sagen, was sich dann noch in ihrem Leben verändert hat?", fragte die Seele wissbegierig.

Jetzt schaute die Frau ihr tief in die Augen, so als wenn sie die Seele jetzt erst richtig wahrnahm, war sie doch so mit dem Erzählen ihrer Geschichte beschäftigt gewesen.

„Warum wollen Sie das wissen, wonach suchen Sie in Ihrem Leben?", fragte die Frau freundlich.

„Ich bin auf der Suche nach meiner Berufung. Ich möchte etwas von mir in die Welt tragen. Etwas, das mich ausmacht, mir Wert gibt und mich gleichzeitig erfüllt und glücklich macht. Ich habe den Weg noch nicht gefunden und bin mir auch oft unsicher, was es ist und wie ich dahin komme", sagte die Seele etwas betrübt.

Die Frau strahlte Liebe und Mitgefühl aus: „Wenn Sie sich ganz tief mit sich verbinden, dann werden Sie die Antwort darauf bekommen. Ich habe im Laufe der Veränderung, die ich gemacht habe, auch meine Arbeit gewechselt. Ich war nie so richtig glücklich gewesen in der Anstellung, die ich hatte, aber die Angst und mein geringer Selbstwert hielten mich da gefangen. Meine innere Transformation hat mir dann die Kraft und Klarheit gebracht, was ich in diesem Bereich ändern möchte und mir den Mut gegeben, das zu tun. Ich habe dann diese Anstellung endlich gekündigt und das, was ich heute mache, passt viel besser zu mir und erfüllt mich."

„Das wünsche ich mir auch. Ich verstehe, dass es da nach innerer Arbeit verlangt, um die alten Stimmen in mir beiseite zu schieben, die mich in meinen alten Mustern gefangen halten. Dann kann ich meine eigene Stimme klarer hören, dieser vertrauen und mutig und entschlossen nach vorne gehen. Ich danke Ihnen, jetzt wird mir das so richtig bewusst."

„Genau darum geht es. Aber wenn ich Ihnen einen Rat geben darf, suchen Sie sich Unterstützung. Alleine hätte ich das nie geschafft. Ich bin meinem Coach unendlich dankbar, denn ohne ihre Erfahrung und ihr Wissen und ihre liebevolle und professionelle Begleitung wäre ich heute nicht da, wo ich bin und meine Beziehung wäre wohl beendet. Das ist so wertvoll und hilfreich und bringt Sie viel schneller an Ihr Ziel oder zu dem, wonach Sie suchen."

Die Frau verabschiedete sich freundlich und die Seele saß noch eine ganze Weile da und sie spürte voller Freude, dass sich etwas Neues in ihr auftat. Jetzt sah sie einen Weg und sie spürte ein tiefes Vertrauen in sich, dass sie ihren Weg und ihre Berufung finden würde.

Bist du auch in einer schwierigen Beziehungssituation? Möchtest du dich von alten Begrenzungen befreien und die Liebe in dir wieder entdecken? Möchtest du wieder ganz in deine Kraft und bei dir ankommen?
Dann lass mich dich gerne begleiten.

Ich habe ein Geschenk für dich: eine Meditationsreise zu deiner inneren Frau.
Deine Aloka Levitin

Mein Angebot für dich: 5 Tage Kurs „Mit der Kraft der Liebe deine Beziehung heilen" Mehr Infos hier: www.healandtransform.lpages.co/5-tage-kurs-angebot

---

Aloka Levitin – Sie unterstützt Frauen, ihre innere Kraft und ihren wahren Wert wieder in sich zu entdecken und aus ihrer weiblichen Essenz heraus, erfüllte Beziehungen und ein glückliches Leben zu leben. In ihrer Arbeit verbindet sie Psychologie, Spiritualität und Energie-Arbeit, um eine nachhaltige Transformation zu bewirken und die innere Balance in sich zu finden. **www.alokalevitin.com**

---

8 Hol dir auch das Geschenk zu diesem Kapitel ab: www.jyotimaflak.com/geschenke

Foto: Andrea Wissler-Greif

CLAUDIA FUNK Coach & Wegbegleiterin

VON DER TRENNUNG IN DIE SELBSTLIEBE

Du liebe Seele, warum bist du so traurig, magst du mir deine Geschichte erzählen?

Sie schniefte noch etwas, putzte sich die Nase und fing an zu erzählen. Es fing alles so schön an...

Es war einmal... eine Frau, nennen wir sie hier mal Leonia, die sich zu einem Tanzkurs angemeldet hatte, denn Tanzen war ihre große Leidenschaft.

Dort traf sie auf Kian.

Am Anfang war er noch schüchtern und traute sich gar nicht auf die Tanzfläche. Durch die Aufmunterung seiner Schwester kam er dann doch auf Leonia zu, die etwas abseits stand, und traute sich sie anzusprechen, da sie bisher noch keinen Tanzpartner hatte.

Leonia war nicht abgeneigt und ließ sich darauf ein, da der Typ ganz nett aussah.

Kian trat ihr zwar dann beim Tanzen des Öfteren mal auf die Füße, aber mit der Zeit wurde es immer besser und besser und sie schwangen das Tanzbein.

Nach einiger Zeit konnten sie dann zu Cha-Cha-Cha, Rumba, Discofox und Walzer tanzen.

Sie trafen sich dann immer öfter und merkten, dass sie etwas füreinander empfanden.

Nach kurzer Zeit schon beschlossen sie, zusammen zu ziehen. Sie war zwar noch etwas zögerlich, aber dann war sie doch Feuer und Flamme von der Idee.

Jeder wohnte bis dahin noch im Elternhaus und es war dann schon eine Umstellung, plötzlich auf sich gestellt zu sein.

Es war zwar eine kleine Wohnung, da sie aber jung waren und verliebt, machte ihnen das nichts aus.

Dann, Jahre später, beschlossen sie zu heiraten und ein Haus zu bauen. Es war viel Arbeit, da sie viel in dem Haus selbst machten, nebenbei zu ihrer täglichen Arbeit, einer 40Stundenwoche.

Als das Haus dann soweit fertig war und sie eigentlich hätten glücklich und zufrieden sein können, da tat sich ein Schatten über der Beziehung auf.

Leonia bemerkte, dass Kian plötzlich ein neues Handy hatte. Sie war neugierig und schaute hinein.

Sie war mehr als erstaunt, als sie eine SMS von einer anderen Frau sah – ja, sie wusste, eigentlich stöbert man nicht ungefragt in einem Handy herum. Aber sie hatte ein so komisches Bauchgefühl.

Sie sprach Kian darauf an. Er stritt natürlich alles ab, mit der Aussage da wäre nichts. Sie beließ es erst einmal dabei.
Tage später – das Bauchgefühl war immer noch da - schaute sie noch einmal nach. Wieder eine eindeutige SMS von dieser Frau.

Leonia fragte noch einmal nach, was diese SMS zu bedeuten habe.

Kian gab dann zu, dass er Jemanden (eine andere Frau) kennengelernt und mit dieser Person etwas angefangen habe.

Sie fiel aus allen Wolken, eine Welt stürzte zusammen, als sie das hörte. Sie dachte, es wäre ein böser Albtraum, der gleich wieder vorüber ginge. Dem war leider nicht so.

Leonia konnte es nicht glauben, nach allem, was sie zusammen erlebt und sich zusammen aufgebaut hatten.

Leonia konnte sich das Ganze nicht erklären und zu diesem Zeitpunkt nicht verstehen.

Geschirr schmiss sie auf den Boden, sie war außer sich vor Wut und Enttäuschung.

Von ihm kam, dass es ihm leid täte, er wusste nicht, dass es sie so mitnehmen würde. Er dachte, sie würde ihn eh nicht mehr lieben.

‚Hach, als wäre das eine Entschuldigung', dachte Leonia.

Sie erlebte Wochen und Monate der Wut, Verzweiflung, Angst, Enttäuschung...
Und vor allen Dingen auch Wut auf die andere Frau.

Die Zeit ging ins Land und sie hatte ein andauerndes Gedankenkarussell und kam zu keiner Entscheidung.

Kian konnte und wollte sich nicht entscheiden. Es war ja bequem, zwei Frauen zu haben - die eine fürs Bett und die andere brave, die auf das Haus aufpasste, den Garten und den Haushalt in Ordnung hielt.

Da es ihr immer schlechter ging, merkte sie, sie müsse nun endlich FÜR SICH eine Entscheidung treffen, sonst ginge sie vor die Hunde. Sie machte einen Termin bei einer Psychologin aus. Dort fand eher ein Monolog statt, sie redete und die Psychologin hörte zu.

Fürs Erste war es in Ordnung, um sich das Ganze vor einer neutralen Person von der Seele zu reden, es brachte sie aber nicht wirklich weiter. Und Leonia merkte, da muss es noch etwas anderes für sie geben.

Bis auf einen Tipp, dass sie sich und ihrer Seele eine Auszeit gönnen solle, zum Beispiel mit einem Urlaub, um das Ganze mit Abstand betrachten zu können, konnte ihr die Psychologin nicht wirklich weiter helfen. Dazu bekam sie einen Flyer mit.

Sie schaute sich den Flyer an, überlegte etwas und dann buchte sie einen Wohlfühlurlaub in Andalusien. Am Flughafen beschlich sie dann ein unsicheres Gefühl, ob es wirklich richtig sei, dies zu tun. Sie fühlte sich ziemlich verloren und einsam – bisher war sie noch nie alleine verreist. Es kullerten auch ein paar Tränen.

Sie gab ihnen nach und dann trocknete sie diese und stürzte sich ins Abenteuer beziehungsweise erst einmal in den Flieger.

Es war dann gar nicht so schlimm, denn sie hatte nette Sitznachbarn, mit denen sie sich unterhalten konnte.

In Andalusien angekommen, wurde sie auf der Finca nett begrüßt und dort waren auch viele Frauen, die alleine angereist waren.

Täglich konnte man sich austauschen, wenn einem danach war, oder auch alleine sitzen, wenn man allein sein wollte. Die Anlage war sehr weitläufig und bot viele Sitzgelegenheiten und auch einige Hängematten im Garten, die zum Verweilen einluden und in denen man seinen Gedanken nachhängen konnte.

Abends gab es oftmals die Gelegenheit, in der Gruppe zu tanzen, was ihr auch sehr viel Freude machte und sie aus der Starre heraus brachte.

Zusätzlich gab es noch Meditationen, um mehr in die eigene Mitte und in die Entspannung zu kommen. Ideal für Körper, Geist und Seele.

Als sie später wieder zu Hause war, hatte sie mehr Klarheit und Gewissheit darüber, wie ihr nächster Schritt aussehen würde.

Da sich Kian nicht entscheiden konnte, traf sie dann die Entscheidung, die sie sich nicht leicht gemacht hatte. Doch trotz aller Bemühungen hatte sich zwischen ihnen nichts geändert.

Zu diesem Zeitpunkt wusste sie noch nicht, dass sie sich für Kian verbog und ihm alles recht machen wollte. Sie nahm sich selbst nicht mehr wahr und ihre Gedanken drehten sich nur um ihn. Durch das ständige Gedankenkarussell über Kian hatte sie ihr eigenes Wohlbefinden und ihre Bedürfnisse – das, was sie eigentlich will – total verdrängt. Ihre Seele war sehr traurig und niedergeschlagen.

Sie reichte, nach vorheriger Zwiesprache mit ihrer Seele, ob irgendwie noch Hoffnung bestünde, die Scheidung ein.

Nach der Scheidung kam sie dann auch immer mehr und mehr in ihre Kraft.

Sie absolvierte verschiedene Ausbildungen und Weiterbildungen wie Reiki, Spiritueller Mentalcoach, Bewusstseins-EnergieCoach, Klangmassage-Expertin, Kursleiterin für Meditation. Mit der Klopftechnik, auch MET genannt, hat sie ihren Schmerz auflösen können. Meditationen in der Stille und BewegungsMeditationen - insbesondere die Herzchakra-Meditation - haben ihr sehr geholfen, wieder ins Leben zu finden.

Mit dem Vergebungsritual Ho'onoponopo konnte sie Kian Schritt für Schritt immer etwas mehr vergeben.

Die vier Wundersätze, die Herz und Seele heilen:

Es tut mir leid.
Ich verzeihe mir.
Danke.
Ich liebe mich.

Mit der Energiearbeit kam Leonia immer mehr in ihre Lebensfreude und Leichtigkeit.

Die verschiedenen Coachinggespräche halfen ihr dabei, das Ganze aus einer anderen Warte zu sehen. Ihr Gedankenkarussell drehte sich nicht mehr so unaufhörlich und sie kam wieder in ihre Klarheit, um zu wissen, was ihre nächsten Schritte seien. Außerdem konnte sie wieder besser schlafen und sah neue Perspektiven für ihr Leben.

Heute ist sie Kian dankbar dafür, dass es so gekommen war, sonst hätte sie wahrscheinlich die ganzen Ausbildungen, Weiterbildungen, Lebenserfahrungen nicht gemacht, wenn sie mit ihm zusammen geblieben wäre. Leonia säße noch immer in dem Haus und würde ihr Leben tagein und tagaus immer gleich leben. So ist ihr Leben um vieles bunter und reicher geworden.

Zu mir:

Ich habe auch eine tiefe Krise erlebt und weiß, wie es ist, darin zu stecken und nicht mehr weiter zu wissen. Ich dachte auch, ich käme da nie heraus und war ständig mit meinem Gedankenkarussell konfrontiert. Sätze wie: „Ich bin nicht gut genug", „Es passiert nur mir", „Was habe ich falsch gemacht" und auch Selbstzweifel, Ängste, Hoffnungslosigkeit, Wut und mangelnde Selbstliebe bestimmten meinen Alltag. Heute kann ich sagen, dass ich es geschafft habe, mich selbst und andere zu lieben - natürlich gibt es immer noch den ein oder anderen Stolperstein -, aber ich weiß damit umzugehen. Ich meditiere viel, gehe in die Natur, gönne mir auch für mich selbst Coachings für meine Persönlichkeitsentwicklung, arbeite mit Klängen und Klangschalen.

Gerne begleite und unterstütze ich dich.

Als besonderes Geschenk habe ich für dich eine Entspannungs-Klangreise zu deiner wahren Königin in dir - alles loslassen, was dich belastet.

Herzliche Grüße,
Deine Claudia

Hol dir mein Ebook, um zu wissen, wie du dich von deinem (Ex)Partner lösen kannst. www.claudia-funk.com/ebook

---

Claudia Funk – lebt heute ihre Mission als Coach/Wegbegleiterin, die Frauen dabei unterstützt, aus ihrem Trennungsschmerz/Liebeskummer zu kommen, um sich von ihrem (Ex)Partner zu lösen. Sie hilft dir dabei, dein Herz wieder zu öffnen und deine Selbstliebe zu finden. Durch ihre hellhörige, hellfühlige und hochsensible Art kommst du an den Kern deines Themas. Unterstützt durch ihre wertvoll gesprochenen Worte erhältst du Klarheit und Impulse, wie es in deinem Leben weitergeht. Mit Hilfe der goldenen Energie wirst du mit ihr gemeinsam deinen Schmerz auflösen und kannst dich für deine Selbstliebe wieder öffnen. **www.claudia-funk.com**

---

9 Hol dir das Geschenk zu diesem Kapitel ab:
www.jyotimaflak.com/geschenke

Oma, ich kam zu spät auf die Welt, um dir als Physiotherapeutin helfen zu können, aber zum Glück darf ich jetzt als ganzheitliche Gesundheitsmentorin für Mütter ganz vielen helfen, ihr Herz vor Freude leuchten zu lassen und selbstfürsorglich, ja, sogar leidenschaftlich, vorbildlich ihre Gesundheit und ihr Lebensglück in die eigenen Hände zu nehmen.

Kerstin Schneider

Deine Marke ist die Seele deines Unternehmens.

Alexandra Stark

Hör immer auf deine innere Stimme, denn sie führt dich in die Freude.

Ines Doreen Jabs

AU!

IM ERNÄHRUNGSDSCHUNGEL

Die Seele war inzwischen durch so viele Landschaften gewandert und hatte so viele Menschen und Dinge kennengelernt.

Was für eine Reise! Nicht mehr lang und sie würde am Leuchtturm ankommen.

Plötzlich grummelte ihr Magen: „Irgendwie liegt mir mein Essen seit Tagen so schwer im Bauch." Als sie an der Abbiegung *Zum Ernährungsdschungel* vorbei kam, hüpfte ihr Herz. Vielleicht gibts da etwas Leckeres zu essen? Mangos?

Und wie ein Äffchen hüpfte sie nun auf dem Weg in den Dschungel hinein, gespannt, was sie jetzt erfahren durfte.

Foto: Kurt Kosche

NICOLE KOSCHE Vegane Ernährung

DEIN WEG IN EIN VEGAN(ER)ES LEBEN – FINDE DIE FRIEDVOLLE VERÄNDERUNG IN DIR

Die Seele war ganz erfasst. Sie beobachtete eine junge Frau. Strahlend und unheimlich selbstsicher wirkend, spielte diese ein paar Meter von ihr entfernt, am Rande eines schönen Parks, ausgelassen mit ihrem Sohn Fangen.
Als sich der Junge mit einem vorbeikommenden Kind beschäftigte, setzte sich seine Mutter auf eine Bank. Die Seele nahm all ihren Mut zusammen und sprach die Fremde an: „Entschuldigen Sie…?", sagte die Seele.

„Ja, bitte", antwortete die Frau mit einem einnehmenden Lächeln.

„Ich möchte nicht aufdringlich sein, aber mir ist aufgefallen, mit welcher Freude und Herzlichkeit Sie mit ihrem Sohn spielen. Das hat mich so berührt, dass ich es Ihnen einfach mitteilen wollte."

Das Strahlen der Frau wurde noch heller und sichtlich ergriffen sagte sie: „Danke. Um ehrlich zu sein, war ich aber nicht immer so entspannt und ausgeglichen. Zwar habe ich versucht, mir das vor allem meinem Sohn gegenüber nicht anmerken zu lassen, aber Kinder haben gute Antennen für die Gefühle anderer."

„Das stimmt", sagte die Seele. „Genau das ist auch meine Erfahrung. Kinder wissen oft besser als wir selbst, wie wir Erwachsenen uns fühlen. Sie sind nicht so verkopft und sagen und tun, was sie empfinden, ohne es zu bewerten. Wenn es mir nicht gut geht und ich das vor meinen Kindern verbergen möchte, setzt mich das allerdings wahnsinnig unter Druck. Sie durchschauen meist, dass ich nicht wirklich entspannt und fröhlich bin. In diesen Momenten bin ich angestrengt und aufgesetzt, eben nicht authentisch. Und innerlich mache ich mir Vorwürfe, sie mit meiner Stimmung zu belasten."

„Leider kenne ich das nur zu gut", sagte ihr Gegenüber. „Wollen Sie sich nicht zu mir setzen und wir unterhalten uns ein bisschen? Mein Name ist übrigens Nicole."

„Sehr gerne", sagte die Seele und nahm neben ihr in der schönen Nachmittagssonne Platz. „Wollen wir uns duzen?"

„Ebenfalls gerne", lachte Nicole. Dann begann sie zu berichten: „Lange habe ich mich auch in dieser Gedankenspirale befunden. Ich habe mich dafür verurteilt, meine Gefühle nicht im Griff zu haben. Anstatt sie anzunehmen, habe ich sie geleugnet und teilweise wie eine Marionette agiert. Ich hatte den Anspruch, alles perfekt machen zu wollen und festgestellt, dass das nicht funktioniert. Das hat mich irgendwann nahezu handlungsunfähig gemacht, aus Angst, etwas Falsches zu tun."

„Oh ja, so geht es mir auch oft", bemerkte die Seele. „Ich verbiege mich, um irgendwelchen Ansprüchen gerecht zu werden. Dennoch ist keiner glücklich damit und ich habe das Gefühl, zu versagen."

Nicole fuhr fort: „Das Aussteigen aus diesem Gedankenkarussell war für mich erst möglich, als ich erkannt habe, dass ich mir diesen Druck selbst mache. Niemand anderes, sondern nur ich selbst stecke meine Ansprüche so hoch. Ich dachte, das wird so erwartet, dass ich mich zum Beispiel als Mutter völlig selbstvergessen nur noch auf meine Familie fokussiere."

„Ich habe es bisher leider noch nicht geschafft, mich von diesem Gedanken zu lösen. Wie hast du das denn gemacht?", fragte die Seele.

„Im Prinzip hat alles mit der Entdeckung meiner Selbstwirksamkeit begonnen. Nach und nach habe ich dann auch meinen inneren Frieden wieder entdeckt, weil ich seitdem aus Freude und authentisch lebe."

„Das klingt ja fast zu schön, um wahr zu sein", meldete sich die Seele träumerisch zu Wort und hörte Nicole weiter gebannt zu.

„Vor einiger Zeit hatte ich das Glück, dass ein Arzt meine gesundheitlichen Probleme in Zusammenhang mit meinen Ernährungsgewohnheiten sah. Ich war verschleimt und übersäuert, was zu Entzündungen und Schmerzen im Körper geführt hat und sage deshalb Glück, weil ich mich dadurch nicht länger als Opfer meiner Umstände gefühlt habe. Meine Gesundheit lag nun in meinen eigenen Händen. Ich war nicht länger eine passive Zuschauerin, die die Verantwortung dafür an andere abgab. Jahrelang hatte ich mich überwiegend mit tierischen Produkten ernährt. Nun folgte ich der Empfehlung des Arztes, eine gewisse Zeit konsequent Milchprodukte zu meiden. Schnell stellten sich gesundheitliche Verbesserungen ein. Das bewog mich dazu, an der veränderten Ernährungsweise anzuknüpfen. Mir wurde bewusst, was für einen großen Einfluss die Ernährung auf meine Gesundheit und mein Wohlbefinden hat. Die weitreichende, ärztliche Empfehlung, am besten nur noch pflanzliche, basenüberschüssige Kost zu mir zu nehmen, setzte ich in weiteren Etappen um. Somit kümmerte ich mich selbst aktiv um meine Gesundheit.

Je mehr ich mich mit einer rein pflanzlichen Ernährung beschäftigte, desto deutlicher wurden mir die Auswirkungen meines bisherigen Essverhaltens - nicht nur auf meinen Gesundheitszustand, sondern auch auf die Tier- und Umwelt und den Zusammenhang zur Welternährungssituation."

Die Seele hatte jedes von Nicoles Worten förmlich aufgesaugt. Sie war sichtlich bewegt und sagte: „Das ist ein spannendes Thema mit wunderbaren Erkenntnissen. Aber ehrlich gesagt, setzt mich das auch schon wieder unter Druck. Ich frage mich oft, was für eine Welt wir unseren Kindern hinterlassen und verurteile mich dafür, dem nicht genug entgegen zu wirken. Wie geht es dir damit?"

„Zu Beginn meiner Ernährungsumstellung ging es mir ganz ähnlich, liebe Seele. Nach dem Konsumieren von verschiedenen Büchern und Dokumentationen wollte ich mich auch aus ethischen und ökologischen Gründen nur noch pflanzlich ernähren. Mir wurde zum Beispiel unmissverständlich klar, wie die tierproduktverarbeitende Industrie arbeitet. Dafür wollte ich mit meinem Essverhalten nicht weiter mit verantwortlich sein.

Mein Umfeld verunsicherte mich jedoch mit Fragen und Aussagen, dass eine pflanzliche Ernährung niemals gesund und bedarfsdeckend sein könne.
Die Euphorie über meine gewonnene Selbstverantwortung wurde also schnell getrübt. Aus Sorge, etwas falsch zu machen, bin ich wieder in Unsicherheit, Zweifel und Lethargie verfallen und fühlte mich wie gelähmt. Ich war verunsichert, ob ich mich ausgewogen genug ernährte und nachhaltig genug lebte. Immer mehr Steine kamen ins Rollen, die mich regelrecht unter sich begruben. Das Gefühl, all dem nicht gewachsen zu sein und nicht genug zu geben, wurde immer erdrückender.

Bei jedem Tiertransporter, den ich sah, hatte ich Tränen in den Augen. Ich konnte nicht verstehen, wie ignorant mein Umfeld zu sein schien, das weiter an seinen (Ernährungs-)Gewohnheiten festhielt. Das Gefühl kam auf, an mir und der Welt zu zerbrechen und nicht genug auszurichten, um meinem Sohn eine intakte Welt hinterlassen zu können."

„Ich habe den Eindruck, du sprichst von mir", sagte die Seele. „Bisher dachte ich

nur in mir hat sich so ein Weltschmerz breit gemacht, der mich immer wieder in eine Art Starre versetzt. Der Großteil meines Umfeldes will sich mit den meisten Themen, die mich beschäftigen, gar nicht auseinander setzen. Bisher hat mich das glauben lassen, dass mit mir etwas nicht stimme und ich habe mich wie ein Alien gefühlt. Es tut gut, dir zuzuhören und zu verstehen, dass ich damit nicht allein bin."

„Schön, dass dir diese Erkenntnis Leichtigkeit verschafft", freute sich Nicole. „Genau das war auch bei mir der ausschlaggebende Punkt: Der Moment, in dem ich feststellte, dass es erfreulicherweise immer mehr Menschen gibt, die ein wachsendes Bewusstsein entwickeln und etwas verändern möchten. Dabei ist mir Folgendes klar geworden: Wenn jeder (erst einmal) nur das ändert, was er im Moment aus Freude und Überzeugung tun kann, ist das viel wertvoller, als sich gedanklich selbst zu kasteien und an den eigenen Erwartungen zu scheitern. Kleine Veränderungen, die wir vornehmen, sind besser als große, die wir lediglich planen. Seitdem honoriere ich jeden noch so kleinen Schritt und gestehe mir und anderen zu, nicht perfekt zu sein. Es wurde zu meiner Philosophie, bisherige Gewohnheiten mit Freude, Leichtigkeit und im eigenen Tempo zu optimieren.

Ich habe verstanden, dass meine Gedanken und Gefühle maßgeblich mein Handeln (beziehungsweise mein Nichthandeln) und somit auch mein Leben bestimmen. Daraufhin habe ich mich von der Vorstellung verabschiedet, dass ich als Einzelne nichts ausrichten kann. Zuvor habe ich mich so klein und unbedeutend gefühlt, dass ich passiv geblieben bin.

Indem ich hinter die Fassade meiner Gedanken gesehen habe, kam ich zu folgender Erkenntnis: Die Geschichten, die ich mir jahrelang in allen möglichen Bereichen erzählte, haben eine unglaubliche Macht auf mein Leben ausgeübt. Sie entsprechen jedoch nicht der Realität. Diese ist von sich aus zunächst neutral und bekommt ihre Wertung erst durch mich verpasst. Jeder kann sich der Macht seiner Gedanken bedienen und sie zu den eigenen Handlungen werden lassen. Durch freudvolle Gedanken lässt sich eine freudvolle Realität erschaffen."

„Wow, so habe ich das noch nie betrachtet", sagte die Seele. „Bisher habe ich immer den Fokus auf das gerichtet, was nicht gut oder optimal läuft. Dadurch habe ich nur Schwere empfunden. Wenn ich mich aber darauf besinne, was ich (zumindest an Erkenntnissen) schon alles erreicht habe, fühlt sich das gut an. Ich glaube, ich darf lernen, mich nicht weiter für das zu verurteilen, was ich (noch) nicht umgesetzt habe. Vielmehr sollte ich mich dafür anerkennen, was ich bereits geschafft habe. Ich spüre sofort, wie ich mich bei diesem Gedanken darauf freue, Veränderungen anzugehen. Auch ich möchte mich schon lange komplett pflanzlich ernähren. Bisher habe ich es aber noch nicht geschafft und verurteile mich ständig dafür."

„Ich freue mich sehr über deine Offenheit", sagte Nicole. „Wir alle haben die Wahl, wie wir auf Geschehnisse reagieren: destruktiv oder konstruktiv? Zerstörerisch oder schöpferisch? Verbissen oder nachgiebig? Verurteilend oder anerkennend? Mittlerweile hinterfrage ich meine Lebensweise wohlwollend, reflektiere ohne Bewertung und erlaube mir, Optimierungen im eigenen Tempo vorzunehmen. Es ist wichtig, überhaupt ins Handeln zu kommen, anstatt ewig darauf zu warten, etwas Großes in Perfektion zu vollbringen. In Summe ergeben viele kleine Veränderungen auch etwas Großes. Es liegt in der Hand jedes Einzelnen, etwas zu verändern.

So wie Kinder ihren Impulsen folgen und machen, was ihnen Spaß bereitet, dürfen auch wir Erwachsene uns von hinderlichen Gedanken und konstruierten Erwartungen frei machen und mit Freude ins Handeln kommen. Das birgt ein unglaubliches Potential. Es können Schritte folgen, an die wir zuvor noch gar nicht gedacht haben. Mein Umfeld lässt sich seitdem viel eher anstecken, eigene Gewohnheiten zu hinterfragen und Veränderungen vorzunehmen.

Ich habe verstanden, dass es nicht darum geht, etwas ganz oder gar nicht in Angriff zu nehmen, sondern darum, überhaupt erste Schritte zu gehen. Daher werbe ich zum Beispiel mit Genuss, Spaß und Leichtigkeit für den veganen Lebensstil - ohne Verbissenheit oder erhobenen Zeigefinger.

Ich selbst habe bei meiner Ernährungsumstellung auch Zeit gebraucht. Dabei hat es mir geholfen, nicht von jetzt auf gleich etwas übergestülpt zu bekommen, sondern in meinem Tempo zu den entsprechenden Überzeugungen zu gelangen und Entscheidungen bewusst zu treffen.
Für mich war es sehr hilfreich, dass mir von Seiten des Arztes zunächst lediglich Experimente empfohlen wurden. Darauf konnte ich mich gut einlassen, da sie erst einmal nichts Endgültiges impliziert haben."

„Das beruhigt mich", sagte die Seele. „Derzeit habe ich das Gefühl mit meiner Ernährung nur anzuecken, obwohl oder gerade weil ich nicht konsequent dabei bin."

„Ja, in vielen Köpfen ist so ein Schwarz-Weiß-Denken verankert", sagte Nicole. „Auf manche wirkt allein die (neutrale) Äußerung, sich vegan zu ernähren, provokant. Selbst wenn ich nur von meinen ganz eigenen Beweggründen spreche, fühlen sich Gesprächspartner oft unbewusst angegriffen oder rechtfertigen sich, weil sie mich wie das personifizierte schlechte Gewissen empfinden. Aber jeder ist für sich selbst verantwortlich und entscheidet, was er mit den Informationen, die ihm begegnen,

macht. Ich habe gelernt, zu meiner Geschichte zu stehen und mich davon frei zu machen, was das in anderen auslöst. Erfreulicherweise wächst die Zahl an Menschen, die zum eigenen (gesundheitlichen) Wohl oder zum Wohle von Tier- und Umwelt ihre Ernährung und ihren Lebensstil verändern wollen."

„Auch ich möchte mitwirken, die Welt mit einem besseren Gefühl an die nächste Generation übergeben zu können. Dabei fühle ich mich jedoch oft überfordert und stehe wie gelähmt vor dem riesigen Berg an Veränderungen, der dafür nötig erscheint", gestand die Seele.

„Das ist der Grund, warum viele aufgeben, bevor sie angefangen haben. Oder sie scheitern daran, dass sie zu viel auf einmal wollen. Sie können die (selbst) gesetzten Ansprüche nicht erfüllen und geben resigniert auf", bemerkte Nicole und führte weiter aus: „Bei der Vorstellung ganz oder gar nicht fällt die Entscheidung dann auf gar nicht. Die Welt braucht jedoch dringend mehr Menschen, die achtsamer, respektvoller und nachhaltiger durchs Leben gehen. Entscheidend ist dabei nicht, gleich perfekt zu sein, sondern sich auf Neues einzulassen. Jeder noch so kleine Schritt ist bedeutsam und lässt in der Regel weitere folgen. Wer mit Freude anfängt, Dinge umzusetzen, optimiert mit der Zeit wahrscheinlich immer weitere Gewohnheiten. Wer anderen vormacht, wie klein und leicht Schritte sein dürfen und diese ebenfalls inspiriert, Veränderungen vorzunehmen, wird selbst zum Multiplikator. In Summe entsteht dabei etwas Großes."

„Danke, liebe Nicole. Das klingt wundervoll und verschafft mir mehr Leichtigkeit in meinem Leben und Handeln. Deine Offenheit und deine Erkenntnisse stoßen bei mir auf große Resonanz. Ich freue mich darauf, aktiv Veränderungen in Angriff zu nehmen. Mir ist klar geworden, dass ich Entscheidungen im Leben niemals vorrangig für andere Menschen treffen sollte, sondern für mich selbst. Auch wenn manches aneckt, ist es doch das Wichtigste, mir selbst gegenüber treu und wohlwollend zu bleiben und den Mut zu haben, diese Dinge anzugehen."

„Oh, das freut mich, liebe Seele. Es bestätigt mir genau das, was ich inzwischen immer öfter erlebe: Jeder hat es selbst in der Hand, in welcher Welt wir leben und kann durch seine positiv eingestellte Lebensweise andere inspirieren und mitreißen, mehr Respekt und Verantwortungsbewusstsein an den Tag zu legen. Aus der Selbstwirksamkeit von jedem Einzelnen erwächst die Veränderung, die unsere Welt so nötig hat."

„Deine Erkenntnisse sind so wertvoll und sollten viel mehr Menschen erreichen", sagte die Seele.

„Das habe ich mir auch schon gedacht“, schmunzelte Nicole. „Ich koche unheimlich gerne und habe in meinem eigenen Umfeld gelernt, wie leicht anderen der Zugang zur pflanzlichen Ernährung über genussvolles Essen fällt. Wer erst einmal realisiert, dass die vegane Küche mehr als nur Gras und Steine zu bieten hat und pflanzliche Mahlzeiten ohne Verzichtgefühle wahrnimmt, ist meist offen für (kleine) Veränderungen im eigenen Kochalltag.

Deshalb habe ich etliche meiner Lieblingsgerichte in einem pflanzlichen Kochbuch zusammengetragen. Damit kann sich jeder selbst davon überzeugen, wie einfach, vielseitig und schnell pflanzliche Gerichte auf den Tisch gezaubert werden können. Und für alle, die ihren Ernährungs- und Lebensstil ein (kleines) bisschen veganer gestalten wollen, habe ich einen Minikurs mit vielen Anregungen und Tipps erstellt, um mit Leichtigkeit erste Veränderungen vorzunehmen.“

„Fantastisch“, bemerkte die Seele. Darüber finden sicherlich viele Menschen einen entspannten Zugang zur veganen Welt oder können ihr Repertoire an pflanzlichen Gerichten erweitern.“

„Das ist meine Vision“, bemerkte Nicole augenzwinkernd. „Aktiv daran beteiligt zu sein, die Welt zu einem besseren Ort zu machen, indem Menschen ihre Selbstwirksamkeit erkennen und die Verantwortung für ihre Gesundheit und ihren ökologischen Fußabdruck übernehmen.“

Hier zum Minikurs: www.nicolekosche.com/einbisschenveganer

Nicole Kosche hat über ihren eigenen Gesundheitsweg Ende 2017 zur pflanzlichen Ernährung gefunden. Seitdem inspiriert sie immer mehr Menschen zu einem achtsameren, nachhaltigeren Lebens- und Ernährungsstil. Ihr Fokus liegt dabei auf dem genussvollen Zugang durch leckere Rezepte auf pflanzlicher Basis, die keine Verzichtgefühle entstehen lassen. Veränderungen dürfen mit Freude, Leichtigkeit und im eigenen Tempo erfolgen. **www.nicolekosche.com**

---

10 Hol dir das Geschenk zu diesem Kapitel hier ab:
www.jyotimaflak.com/geschenke

Foto: Dominic Peters

IRMGARD KREBSER Therapeutin, Mentorin, Trainerin

FREI VON ESSATTACKEN UND FRUSTESSEN
ERREICHE DEIN WOHLFÜHLGEWICHT OHNE DRUCK UND VERZICHT

Die Seele kommt an einen Ort in einer schönen Umgebung. Sie beobachtet eine Frau mit gesenktem Blick. Diese trägt zwei Einkaufstaschen nach Hause und atmet schwer. So unglücklich sieht sie aus. ‚Ich werde ihr folgen', dachte die Seele.

Sie trifft die Seele Claudia. Hektisch trägt sie die Esswaren in die Küche und beginnt zu kochen. Gleich kommen die Kinder nach Hause und sie muss sich sputen. Kaum sind die Kinder da, kritisiert sie ständig an ihnen herum: „Sitz gerade, iss langsam, schling das Essen nicht so hinunter!"

Die Kinder maulen und verlassen den Tisch gleich nach dem Essen. Sofort fühlt sie Schuldgefühle aufkommen, weil sie genau weiß, dass sie die Kinder ungerecht behandelt hat.

Claudia selbst isst wie ein Vögelchen. Sie ist auf Diät. 5kg liegen ihr schwer auf der Brust und auf den Rippen. Sie fühlt sich schlecht, die Hosen sind zu eng und die Bluse spannt. Die Teller von den Kindern haben noch Essensreste, die sie so ganz nebenbei, ohne es zu merken, noch schnell aufisst. Was für eine hektische Zeit.

Die Seele wird neugierig und interessiert sich immer mehr für Claudia. Sie folgt ihr auf die Arbeit.

Auch da Stress pur. Claudia hat zu kämpfen mit einem neuen Computerprogramm. Sie sollte eine Präsentation bereits fertig haben und ist hinterher in der Zeit. Sie ist sehr gestresst. Sie grabscht in die Schublade des Bürotischs und greift sich einen Schokoriegel. Sie bemerkt es gar nicht. Während sie die Präsentation hält, ist sie sehr nervös. Ihre Gedanken beschäftigen sich damit, was wohl die anderen denken:

‚Bemerken sie, dass meine Hosen zu eng sitzen? Bemerken sie, dass ich schon wieder zugenommen habe?'

Dadurch liest sie den Vortrag ohne Freude vor und macht dazu ein unfreundliches Gesicht. Sie wundert sich nicht, dass ihr niemand so richtig zuhört. Vor dem Feierabend deckt sie der Chef noch einmal mit Arbeit ein.
‚Boa, das gibt bestimmt wieder Ärger mit meinem Mann, wenn ich wieder so spät nach Hause komme und das Essen nicht pünktlich auf dem Tisch steht', denkt sie. Sie traut sich jedoch einfach nicht *Nein* zu sagen.

Und nun will die Seele noch mehr wissen. Wie fühlt sich Claudia? Was für Gedanken plagen sie? Wie redet sie mit sich selbst? Und während sie ihr zuhört, wird sie ganz blass und traurig, als sie hört, was sich Claudia so alles erzählt:

„Das hast du schon wieder versaut, die Diät hast du wieder nicht durchgehalten, zu viel Schokolade hast du gegessen und dann noch diese Chips. Mein Gott, was tu ich nur meinem Körper an. Hoffentlich werde ich nicht krank. Ich kann nicht schlafen. Niemand versteht mich. Ich habe keine Kraft mehr, ich halte das nicht aus. Die ganze Fresserei jetzt. Hilfe, wie komme ich da raus? Jeder will etwas von mir, niemand gibt mir Trost. Alle kritisieren mich, was ist denn nur los? Ich fühle mich so einsam, so unbeschreiblich einsam. Ich möchte einfach aufgeben, mich hinlegen und fertig Schluss… Immer muss ich alles alleine machen. Niemand hilft mir. Die anderen können mich nicht leiden. Ich bin einfach nicht genug."

Claudia leidet unglaublich an Essattacken und ihre Kleidergröße schwankt immer zwischen zwei Größen. Claudia ist vielseitig interessiert, sie liebt es, ihr Haus schön zu dekorieren, sie mag Mode und gesunde Ernährung. Sie geht gerne aus und liebt schöne Kleider und gutes Essen. Sie hat einen erfolgreichen Mann und zwei wunderbare Kinder. Sie arbeitet Teilzeit in einer anspruchsvollen Stellung mit viel Verantwortung. Eigentlich alles perfekt. Aber auf ihr lastet ein wahnsinniger Druck. Sie möchte alles perfekt machen. Das ist so anstrengend. Und dann immer wieder Essattacken. Ihr Leben lang war sie auf Diät. Phasen von Essattacken wechselten sich ab mit Phasen von Diät halten. Kaum war die Diät zu Ende, begann das Spiel wieder von vorne. Stress im Büro, Stress mit den Kindern, hohe Anforderungen an sich, perfekte Arbeit zu liefern, lassen sie ausrasten. Ihre Gedanken kreisen nur um das Essen. Was soll ich essen? Sie ist unter Druck. Sie ist nie mit sich selbst zufrieden.

Am Abend sitzt sie erschöpft vor dem TV und plötzlich, aus dem Nichts heraus, schleicht sich wieder diese Stimme ein, die fragt, was wohl noch im Kühlschrank sei?

Sie sagt sich: „Nein, heute nicht."

Aber sie gibt nicht auf, diese Stimme: ‚Da ist doch noch eine angefangene Schokolade. Komm, gönn die dir. Der Tag war so anstrengend. Das hast du dir verdient.'

Erst eine Reihe, dann zwei und - schwupps - schon ist die ganze Schokolade aufgegessen. Nach einer kurzen Ruhepause kommt die Stimme wieder: ‚Ich glaube, da ist noch eine angefangene Packung Chips von den Kindern. Morgen beginne ich wieder eine neue Diät und dann bin ich eh froh, wenn die weg ist.'

Also futtert sie die auch noch weg. In der Küche liegt noch ein Brot. Auch das noch schnell in den Mund gesteckt. Dann im Bett, mit vollem Bauch, schleicht sich diese Angst hoch, krank zu werden von dieser Esserei. Angst, dass sie ihr Mann verlassen könnte, weil sie immer mehr zunimmt. Diese Angst, total dick zu werden. Sie ist nur noch mit Essen, Abnehmen, Kalorien zählen beschäftigt. Es ist kein Platz mehr in ihrem Leben für Leichtigkeit, Fröhlichkeit und Liebe. Andauernd ist sie genervt und überfordert. Sie rastet sehr schnell aus. „So geht es nicht mehr weiter", sagt sie sich.

Begegnung

Eines Tages, es war ein wunderschöner Herbsttag, hält Claudia es nicht mehr aus zu Hause und geht raus in den Wald. Die warme Sonne und die goldenen Farben der Blätter von den Bäumen beruhigen sie etwas. Da trifft sie auf Irmgard. Die sitzt total entspannt auf einem Baumstamm und man sieht ihr an, wie sie die Umgebung genießt. Sie beginnen, miteinander zu reden. Claudia erzählt ihr immer mehr von sich und ihren Problemen. Irmgard kennt sich aus in diesem Bereich. Auch sie hatte lange Jahre unter diesen Essattacken gelitten und weiß genau, wovon sie sprach. Und das war der Wendepunkt in Claudias Leben.

Von da an hat sie ihr ganzes Leben umgekrempelt. Nicht nur, dass sie ihr Wohlfühlgewicht erreicht hat, nein, jetzt isst Claudia selbstbestimmt.

Mit der Hilfe von Irmgard hat sie gelernt, dass es niemals um die Zahl auf der Waage geht. Sondern es geht immer um Emotionen, Gefühle und aufgrund dessen um abgespeicherte Strategien unseres Körpers. Sie hat die Ursachen ihrer Essgewohnheiten herausgefunden und konnte sie umwandeln. Sie bekam individuelle Techniken an die Hand, um in ihre Selbstkompetenz zu kommen. Sie bekam Klarheit, dass sie selbst die Verantwortung in ihrem Leben übernehmen darf. Sie hat dadurch ihre versteckten Bedürfnisse hinter dem Essen herausgefunden.

Solange wir essen, um uns wichtige Bedürfnisse zu erfüllen, sind wir nicht in der

Lage so zu essen, dass wir Gewicht verlieren. Dabei ist es egal, wie viel Druck wir auf uns ausüben. Deshalb kämpfen wir bei dem Coaching von Irmgard nicht gegen uns oder gegen unsere Art zu essen. Wir verwenden unsere Art zu essen dazu, die Bedürfnisse zu finden, die wir uns mit Essen erfüllen. Sobald wir diese Bedürfnisse kennen, sind wir in der Lage, andere Strategien als Essen für die Erfüllung dieser Bedürfnisse zu finden.

Mein Weg zu meinem Seelenbusiness und zu meinem Wohlfühlgewicht

Wieso nenne ich das so? Ich nenne das so, weil ich tatsächlich von meiner Seele richtig gerufen wurde, diesen neuen Weg zu gehen, ja, zu finden.

Ich führte ein ganz normales Leben. Wobei, so normal war es dann doch nicht. Mit 12 Jahren verlor ich meine Mutter. Sie verstarb nach vier Jahren langer und intensiver Krebskrankheit. Für meinen Vater, meine Schwester und mich war das ein Schock. Mein ganzes kindliches Urvertrauen war mit einem Mal weg. Von da an installierte sich ein Glaubenssatz in mir, der da hieß: Leben heißt kämpfen.

Schon bald stellte ich fest, dass sich in meinem Umfeld niemand dafür interessierte, was ich zu sagen hatte und deshalb wurde ich still. Ich lebte mein Leben ganz normal. Verbrachte ein Jahr als AuPair in Kalifornien. Danach machte ich eine Ausbildung zur Kaufmännischen Angestellten, heiratete einen wunderbaren Mann und bekam zwei wunderbare Kinder. Aber tief in mir drin war eine unerklärliche Leere. Die füllte ich mit Essen und Diäten. Ich machte mir sehr viel Druck. Ab dem 40. Geburtstag begab ich mich auf die Suche nach meiner Erfüllung. Motiviert war ich von einer großen Neugier auf uns Menschen. Mich interessierte die Anatomie und im allgemeinen wie wir Menschen so ticken. Ich las viel über Persönlichkeitsentwicklung, Psychologie und Spiritualität. Und dann, eines Tages, passierte Folgendes:

Meine Seele führte mich mit ganz bestimmten Symptomen dahin, wo ich hingehöre. Ich kann mich noch genau erinnern, als wäre es gestern gewesen: Es war an einem Samstagnachmittag. Stechende Schmerzen pochten plötzlich in meinem Kopf. Weder hatte ich zuvor jemals Kopfschmerzen, noch hatte ich danach jemals wieder Kopfschmerzen gehabt. Ich nahm eine Schmerztablette, aber die nützte gar nichts. Ich musste mich ins Bett legen und lag in der Dunkelheit. Der Kopf hämmerte. Auf Anraten einer guten Freundin ging ich am Montag zu einer Craniosacral Therapeutin. Sie hatte sie mir schon früher einmal empfohlen, aber ich hatte irgendwie kein Interesse. Als ich dann auf der Therapieliege lag, tief entspannte und ganz bei mir war, sagte eine Stimme in mir: ‚Das ist es. Das ist deine Berufung. So willst du arbeiten.'

Gleich am nächsten Tag suchte ich eine Schule für die Ausbildung aus und meldete mich an. Und so begann mein Weg zu meinem Seelenbusiness. Es kamen noch Hypnose, Coaching und andere Ausbildungen dazu.

Danach habe ich verstanden: um mein Wohlgefühl zu erreichen ohne Essattacken, sind Diäten ein Hinderungsgrund. Ich habe begriffen, dass ich mein Unterbewusstsein mit ins Boot nehmen darf. Das war auch der Moment, in dem ich verstanden habe, dass mein Scheitern nicht meine Schuld war (genauso wenig, wie es deine Schuld ist). Und es hat funktioniert. Ich bin endlich frei! Frei von Essattacken und Frustessen und das ohne Verzicht und Druck. Ich fühle mich endlich wohl und ausgeglichen.

Das ist der Grund, dass ich mich entschieden habe, mein ganzes Wissen darüber öffentlich zu machen. Und zwar in Form von meinem Programm: «No Diät, natürlich abnehmen, frei von Essattacken».

Was wäre, wenn auch du endlich spielerisch abnehmen würdest? Glaube mir, ich kenne deine Geschichte. Zwar ist jede Situation anders, aber die Ergebnisse sind immer gleich. Und aus genau diesem Grund möchte ich dir nun auch eine kurze, aber wichtige Frage stellen:

Hast du dir jemals gewünscht, dein Wohlfühlgewicht zu erreichen?
Hast du dir jemals vorgestellt, wie es wäre, wenn du das endlich schaffen würdest?

Aber warum bist du dann noch nicht an diesem Punkt?

Warum hast du dein Ziel noch nicht erreicht? Das ist doch bestimmt nicht das erste Mal, dass du darüber nachdenkst, wie du die Essattacken endlich in den Griff bekommen kannst, oder?

Stell dir einmal vor, wie dein Leben aussehen würde, wenn du es mit «No Diät, natürlich abnehmen, frei von Essattacken» schaffen würdest, dein Wohlfühlgewicht zu erreichen.

Ich habe das Ziel, das wir beide teilen, bereits erreicht und das ändert sich nicht. Aber für dich kann und wird sich viel verändern.

Gehe los und starte dein neues Leben frei von Essattacken und Frustessen!

Wer abnehmen will, hat meist viele Diäten hinter sich. Aber ich kenne niemanden, der mit einer Diät dauerhaften Erfolg hatte. Gegen Heißhunger hilft sie nicht. Die Lösung steckt im goldigen Schatz, der sich dahinter versteckt. Deshalb sei milde mit dir und deinen Essattacken. Sie wollen dir helfen, dich weiterzuentwickeln zu deinem Lebensplan.

Als Geschenk bekommst du meine spezielle Morgenroutine.

Hol dir mein Ebook und ich zeige dir, wie du nach meiner eigenen Methode deine Ziele formulieren kannst: www.irmgardkrebser.com/ebook

---

Irmgard Krebser von Imflow (Therapeutin, Mentorin und Trainerin für Selbstbestimmt Essen) hilft Frauen frei von Essattacken und Frustessen zu werden, um ihr Wohlfühlgewicht ohne Druck und Verzicht zu erreichen und zu halten.
www.irmgardkrebser.com

---

11 Hol dir das Geschenk zu diesem Kapitel ab:
www.jyotimaflak.com/geschenke

SABINE ZEIER Gesundheitscoach

DURCH ERNÄHRUNG UND ENTGIFTUNG IN DIE LEBENSFREUDE

Es war schon später Nachmittag, als die Seele auf ihrem Nachhauseweg auf Sabine traf. Die Luft war klar und kleine Wolken zeigten sich vereinzelt am Himmel. Es war noch angenehm warm. Die Seele jedoch fühlte sich müde und energielos. Sie wirkte verzweifelt.

Sabine blieb stehen, als sie ihre verzweifelten Augen sah und sagte: „Hallo meine Liebe, ich bin Sabine. Du siehst sehr traurig und verzweifelt aus. Kann ich dir helfen?"

Die Seele schaute auf und schluchzte: „Hallo, liebe Sabine. Es ist so schön, dass du fragst. Das ist so ein Mist. Mir geht es leider gar nicht gut. Es ist so blöd, krank zu sein und das schon seit längerer Zeit. Ich kämpfe gegen einige verschiedene Symptome, wie unter anderem Entzündungen, Schmerzen, Müdigkeit und Übelkeit. Ich weiß nicht mehr, was ich machen soll. Ich leide und ärgere mich manchmal über meinen eigenen Körper."

Sabine sah sie verständnisvoll an: „Ich kann dich sehr gut verstehen. Ich kenne das nur zu gut. Komm lass uns dort auf das kleine Mäuerchen setzten, ich höre dir gerne zu."

Als die beiden auf dem Mäuerchen Platz genommen hatten, fuhr die Seele fort: „Ich habe schon so vieles ausprobiert. Ich fühle mich hoffnungslos und spüre wenig Freude in meinem Leben. Manchmal bin ich einfach nur energielos, verzweifelt und müde. Ich würde am liebsten im Bett liegen bleiben und schlafen, als meine Symptome auszuhalten."

Sie war so froh, dass ihr endlich mal jemand zuhörte und sie verstand. Es tat gut zu reden. Sabine erzählte ihr, dass auch sie sehr viel ausprobiert hatte, von Arzt zu Arzt gegangen und oft verzweifelt war, jedoch dass Aufgeben keine Option für sie war. Sabine sagte: „Ich wußte, jeder hat ein Recht auf Gesundheit. Ich traf die richtigen Menschen und holte mir viele Informationen ein. Mit der Zeit wurde mir bewußt, dass ein großer Baustein auf meinem gesundheitlichem Weg die Ernährung und Entgiftung ist."

Clever, wie die Seele war, hüpfte sie von der kleinen Mauer, auf der sie saß, und begann nachzudenken: ‚Ernährung und Entgiftung - was meint Sabine genau damit?

Vielleicht sollte ich etwas an meiner Ernährung ändern? Meinen Körper entgiften?'

„Hast du da Erfahrungen?", fragte die Seele laut.
„Ja", antwortete Sabine. „Ernährung, vor allem eine rein pflanzliche, vegane, hilft unserem Körper. Eine, die aus viel Obst, Gemüse und Blattgemüse besteht. Blattgemüse besitzt viele Mineralien, Vitamine und Proteine. Es hilft dir, deinen Magen und Darm zu reinigen und deinen Körper zu neutralisieren, so dass es einer Übersäuerung entgegen wirkt. Ja und auch Obst enthält eine ganze Menge wichtiger Vitalstoffe. Es hat so viele wundervolle Eigenschaften, durch die wir unsere Gesundheit fördern können. Zum Beispiel stärken sie unser Immunsystem und die Leber und beleben unser Gehirn, unser Nervensystem, unser Herz und alle unsere Zellen. Ich habe die Obst- und Gemüsemenge langsam aber stetig immer mehr erhöht. Grünes Blattgemüse liefert dir so wertvolle Vitalstoffe, dass dein gesamter Körper neue Energie bekommt."

Sabine machte eine kurze Pause, bevor sie weitersprach: „Hast du schon davon gehört, dass Viren, Bakterien, Gifte und Schwermetalle großen Einfluss auf unsere Gesundheit haben? Es gibt Nahrungsmittel, die bei chronischen Erkrankungen unserem Körper nicht gut tun und auch Viren und Bakterien vermehren können. Viren, Bakterien und Pilze können sich von Giften ernähren und somit unseren Körper noch mehr belasten.

Die Seele lauschte ganz gespannt Sabines Worten.
Sie dachte nach: ‚Ob es wohl Lebensmittel gibt, die meinen Körper unterstützen und Lebensmittel, die meinem Körper eher schaden? Sie hatte sich noch nie damit beschäftigt und hakte nach: „Welche Lebensmittel schaden denn eher, wenn ich chronisch krank bin?"

„Dazu gehören zum Beispiel, um mal drei zu nennen, Zucker, Milchprodukte und Schweinefleisch. Diese und noch ein paar andere habe ich aus meiner Ernährung gestrichen."

Dass Umweltgifte einen großen Einfluss auf unseren Körper haben sollen, machte die Seele nachdenklich: „So richtig bewusst habe ich mir das mit den Lebensmitteln, die uns nicht gut tun, und den Umweltgiften noch nicht gemacht", antwortete sie. „Okay, ich denke, das wäre auf jeden Fall eine gute Sache, meinen Körper mit mehr Obst, Gemüse und Blattgemüse zu versorgen. Und warum sprichst du von Entgiftung? Entgiftet unser Körper nicht immer?"

„Ja, das ist richtig, liebe Seele", entgegnete Sabine. „Unser Körper entgiftet immer. Durch Landwirtschaft, Industrie und im Alltag nehmen wir immer mehr Gifte in unseren Körper auf. Wir können unserem Körper helfen, indem wir durch die gestiegene Giftmenge auch die Entgiftungsleistung erhöhen. Mit vielen pflanzlichen Nahrungsmitteln helfen wir dem Körper, mehr zu entgiften. Viele von ihnen haben sogar ein besonderes Entgiftungspotential. Sie sind uns bei der Ausleitung von Giften und Schwermetallen, die wir auf verschiedenen Wegen aus unserer Umwelt aufnehmen, sehr nützlich.

Unsere Leber hat eine zentrale Rolle bei der Entgiftung, daher ist es wichtig, sie gut zu unterstützen. Ich mache dies, indem ich ihr genügend Glucose aus frischem Obst und wertvolle Kohlenhydrate aus Früchten und Gemüse gebe, genügend Wasser trinke, sie mit guten Vitalstoffen versorge, maßvoll Fett esse, ihr Aufmerksamkeit schenke, meinen Stress reduziere und einiges mehr. Damit alle Organe ihre Arbeit gut erledigen können, trinke ich viel Wasser. Auch Säfte aus Obst und Gemüse oder Smoothies. Die Trinkmenge habe ich schrittweise erhöht, so konnte ich herausfinden, wie gut es mir tut.

Um die Adrenalinausschüttung bei Stress zu reduzieren, machte ich mir erst einmal bewusst, welche Situationen und Dinge mich triggern und Stress bei mir auslösen. Dann begann ich, mir Dinge zu überlegen, wie ich den Stress reduzieren und bei manchen Situationen vermeiden kann. Natürliche Entgiftung und eine pflanzliche, heilsame Ernährung können dir also helfen, dass es dir wieder besser geht und du wieder mehr Kraft, Freude und Energie im Alltag hast."

„Das klingt sehr schlüssig und spannend", sagte die Seele und setzte sich wieder neben Sabine auf das Mäuerchen. „Und genau das möchte ich wieder sein: gesünder, energiegeladener, glücklicher und zufriedener", entgegnete die Seele hoffnungsvoll.

Langsam wurde es auf dem Mäuerchen kühler und schattiger, sodass Sabine und die Seele sich ein Plätzchen im grünen Gras unter einem Baum suchten, um noch die letzten Sonnenstrahlen des Tages zu genießen.

„Erzähl weiter", sagte die Seele ganz aufgeregt. „Was ist noch wichtig, damit nicht alles so bleibt, wie es ist? Das will ich nämlich nicht."

„Zusätzlich zur heilsamen Ernährung und natürlichen Entgiftung spielen andere Themen wie Glaubenssätze, Gefühle und Gedanken eine zentrale Rolle. Es ist wichtig, nicht förderliche Glaubenssätze, die durch unsere Erfahrungen im Laufe unseres Lebens entstehen und in unser Unterbewusstsein sickern, zu erkennen, zu verändern und aufzulösen. Deine Gedanken und deine Gefühle haben einen großen Einfluss auf dich und deinen Körper. Oft be- und verurteilen wir uns selbst und erzählen uns Dinge über uns, die nicht der Realität entsprechen. Verstehst du, was ich meine? Das kommt dir bestimmt bekannt vor, oder?"

„Oh ja und wie", seufzte die Seele. „Das heißt, es wäre gut, wenn ich darauf achte, womit ich mich gedanklich beschäftige?"

„Ja, genau. Das Gedankenkarussell erst einmal zu unterbrechen, ist schon mal der erste Schritt. Denke immer wieder an das, was du wirklich willst. Du kannst dir auch gedanklich vorstellen, wie dein Leben als vollkommen gesunde Person aussieht, wie es sich anfühlt und sei dann dankbar dafür. Immer und immer wieder. Mit freudvollen Gedanken und Dankbarkeit erschaffen wir uns eine freudvolle Realität. Die Kraft unserer Gedanken ist mächtig. Am besten kombinierst du das positive Gefühl mit der Dankbarkeit. Dankbarkeit ist der Schlüssel zum Erfolg."

Sabine machte eine kurze Pause, sah die Seele liebevoll an und fuhr fort: „Wieder zu lernen, bei sich selbst anzukommen, bei sich zu sein, ist ausschlaggebend. Sich wieder wahrzunehmen ist etwas, was für viele Menschen notwendig ist, neu zu erlernen. Sie haben es verlernt, den Zugang zu ihrer Intuition. Wahrzunehmen, was für Gefühle da sind, zu erkennen, ob es die eigenen sind oder nicht, sie bejahend zu fühlen und dann wieder loszulassen ist das, was dich wieder mehr in Kontakt zu dir selbst bringt und wie du dich wieder leichter fühlst."

Die Seele dachte über das Gesagte nach.
„Ja, da sagst du was. Die Sache mit dem Wahrnehmen und den Gefühlen…", bemerkte die Seele.

„Wichtig ist, dass dir bewusst wird, dass das Gefühl nur in dir entsteht, aber es nicht du selbst bist", ergänzte Sabine.

„Ich ärgere mich oft über meinen Körper, bin wütend auf ihn und mag ihn ganz oft nicht", erklärte die Seele.

„Okay", entgegnete Sabine, „ich sehe, dass Selbstliebe noch ein großes Thema ist. Mir ging es ähnlich. Die Frage ist, liebst du dich und deinen Körper? Erfüllst du dir selbst deine Bedürfnisse und die deines Körpers?"
„Mmh, das sind Fragen… Die muss ich erst einmal auf mich wirken lassen."

„Ja, mach das", sagte Sabine und gab der Seele Zeit, in Ruhe nachzudenken.

Nach eine paar Minuten durchbrach Sabine die Stille und fuhr leise fort: „Es ist gut, wenn du dich liebevoll innerlich in den Arm nimmst, dich fragst, was du brauchst, was du dir Gutes tun kannst. Am besten ist es, wenn du immer gut für dich sorgst und dich wie deinen besten Freund behandelst. Sprich immer liebevoll mit dir. Deine Zellen bekommen nämlich alle deine Gedanken und Gefühle mit und sie reagieren entsprechend.

Sieh auch negative Emotionen nicht als deine Feinde, sondern als deine Freunde an. Nimm dich selbst, deine Krankheit, deine Symptome an und liebe dich so, wie du bist. Du bist nämlich genau richtig so, wie du bist. Mit diesen ganzen Dingen, von denen ich dir bis jetzt erzählt habe, habe ich mich lange Zeit beschäftigt und sie angewandt. Ich tat und tue dies immer und immer wieder."

Durch die Erzählung von Sabine wurde der Seele bewusst, wie wichtig es ist, sich selbst anzunehmen und zu lieben. Die Krankheit anzunehmen und nicht gegen sie zu kämpfen. Der Gedanke: ‚Ich bin genau richtig, wie ich bin', brachte die Seele zum Strahlen.

„Ich bin genau richtig, wie ich bin", wiederholte die Seele freudig laut den Gedanken.

„Ja, so ist es", sagte Sabine lachend. „Und es gibt noch etwas, was mir sehr auf meinem Weg geholfen hat. Ich tue es immer noch täglich und zwar ist das meditieren. Morgens und abends. Ich freue mich jeden Tag darauf, diese Zeit mit mir zu verbringen. Ja, die Atmung und die Stille sind etwas ganz Wunderbares. Wenn du regelmäßig meditierst, stärkt dies dein Bewusstsein. Es können dir neue Perspektiven und neue Blickwinkel eröffnet werden und du lernst mehr, im Hier und Jetzt zu sein. Meditation hilft gegen Schmerzen, macht dich stressresistenter, da die Gehirnzellendichte zunimmt, verändert die Art und Weise wie wir Reize verarbeiten, sodass wir nicht gleich auf Stress und negative Emotionen reagieren. Dadurch bekommst du langfristig gesehen mehr Energie, wirst gelassener, achtsamer und gelangst zu mehr Frieden mit dir selbst.

Außer der Meditation gibt es natürlich auch Aktivitäten, die meditative Qualitäten haben, dich ruhig und entspannt werden lassen und durch die du dich selbst wieder besser wahrnehmen kannst. Du kannst zum Beispiel die Natur beobachten, im Wald spazieren, Sonnenbaden, laufen, Musik hören, lesen, in den Himmel schauen, die Sterne, die Natur oder Tiere beobachten. Es gibt so vieles, was man in dieser Hinsicht machen kann. Für mich sind es vor allem Dinge wie in den Wald gehen, lesen, den Vögeln zuhören und die Natur beobachten. Es ist heilsam, solche Aktivitäten immer wieder in deinen Alltag einzubauen."

Die Seele hörte aufmerksam zu.

„Machst du schon irgendetwas in diese Richtung?", fragte Sabine die Seele.
„Ich habe begonnen, eine Entspannungsübung zu machen und ich höre viel Musik", antwortete die Seele.

„Ja, das ist wunderbar", sagte Sabine.

„Ich finde es sehr spannend, was Meditation alles bewirken kann. Ich denke, das wäre auch etwas für mich", fügte die Seele hinzu.

Plötzlich wurde die Seele traurig und sprach ganz leise: „Es ist oft so, dass meine Symptome meine Aufmerksamkeit auf sich ziehen", sagte sie.

Sabine blickte der Seele in die Augen und sagte voller Mitgefühl: „Ich kann dich sehr gut verstehen. Ich kenne das auch. Das, worauf du deine Aufmerksamkeit richtest, wird verstärkt und wächst. Daher richte dich mental auf andere, schöne Dinge aus. Schenke am besten den Dingen in deinem Leben Aufmerksamkeit, die du wirklich willst. Richte dich mental auf Gesundheit, auf Heilung aus. Frage dich immer: Was gibt mir Energie? Was tut mir gut? Was nährt mich und was gibt mir Freude?"

Sabine machte einen tiefen Atemzug: „Ich bin überzeugt, wenn chronisch kranke Menschen heilsame Nahrungsmittel zu sich nehmen und entgiften, sich selbst ermächtigen und wieder zu sich selbst finden, dann werden sie wieder mehr Gesundheit erlangen."

Durch Sabine hatte die Seele nun Folgendes verstanden: Wenn sie ihrem Körper helfen möchte, ist jetzt der richtige Zeitpunkt, mit einer Ernährungsumstellung, einer Entgiftung und den anderen Dingen, von denen Sabine erzählt hatte, zu beginnen. So bleibt sie nicht in ihrer Starre und in ihren Gewohnheiten und verliert damit nicht den Zugang zu sich selbst. Die Angst davor, ihr Leben nicht mehr bewältigen zu können, kann dann gehen. Sie möchte unbedingt, dass es ihr gesundheitlich besser geht, sie sich bestärkt fühlt, sie mehr Kraft, Freude und Energie hat - einfach entspannt und glücklich sein.

„Wow, ich finde das so toll, was du alles gemacht hast und machst und so deinen Weg gefunden hast. Hilfst du jetzt auch anderen Menschen, auf ihren Weg zu kommen?"

„Ja genau, und zwar mit viel Freude. Ich habe mit Hilfe eines Coaches meine Lebensaufgabe entdeckt: Menschen mit Ernährung und Entgiftung zu helfen, sie in die Freude zu bringen und sich spirituell weiterzuentwickeln. Das ist meine Berufung. Einen Satz, liebe Seele, möchte ich dir zum Schluss noch mitgeben: Habe Vertrauen in dich, dass du und dein Körper es schaffen."
Die Seele war so gerührt von Sabines Erzählungen, dass sie aufstand und ihr dankend um den Hals fiel: „Ich bin so dankbar, dich auf meinem Nachhauseweg getroffen zu haben. Ich danke dir sehr herzlich für deine wertvollen Impulse. Ich denke, ich werde meinen gesundheitlichen Weg finden. Jedoch kann ich mit deiner Unterstützung diesen Weg gehen?"

„Natürlich, sehr gerne", antwortete Sabine.

Die Seele strahlte. Nachdem die Seele und Sabine sich verabredeten, sich in den nächsten Tagen zu sehen, standen sie von der Wiese auf und verabschiedeten sich herzlich. Mit einem Lächeln auf den Lippen und der Freude im Herzen, Sabine kennengelernt zu haben, machte sich die Seele auf ihren Nachhauseweg.

Wenn du mehr über heilsame Ernährung und natürliche Entgiftung, mentale und emotionale Stärkung erfahren willst, dann schau unter: www.sabinezeier.de

Ich empfehle dir gerne mein Miniprodukt „Neuer Fokus - Ernährung!":
www.sabinezeier.de/neuerfokusernaehrung

Sabine Zeier unterstützt chronisch kranke Menschen durch Wissen, Empathie, Intuition und Erfahrungen auf ihrem gesundheitlichen Weg, um die eigenen Selbstheilungskräfte zu aktivieren hin zu einem Leben mit mehr Gesundheit. Sie hilft ihnen, Körper, Seele und Geist wieder in Einklang zu bringen und wieder mehr bei sich zu sein. Dadurch erfahren sie automatisch ganz neue Begeisterung und Lebensfreude. **www.sabinezeier.de**

---

12 Hol dir ein leckeres Geschenk dazu ab:
www.jyotimaflak.com/geschenke

Authentisch sein und bleiben durch das Vorwärts gehen auf dem eigenen Weg, Schritt um Schritt, sei er noch so klein.

Sabrina Steiner

Bei mir war es nie ein plötzliches, lautes Bäm: hier ist deine Herzensaufgabe. Es war und ist eher wie ein zarter Flügelschlag im Herzen bzw. wie die ersten zarten Kindsbewegungen im Bauch einer Mutter.

Charly Clearsky

Mit der Kamera bilde ich Stimmungen ab, die in der Hektik des Lebens nicht sichtbar sind. Das ist mir ein Herzensanliegen, es treibt mich an und, wofür ich sehr dankbar bin, es ernährt mich und meine Familie.

Sabine von Bassewitz

GO!
♡BIZ

GO! HERZENSBUSINESS – DER WEG ZUM LEUCHTTURM

Stolz blickte die Seele hinter sich über die weite Landschaft. Der Strand und der Leuchtturm lagen direkt vor ihr. Ein paar Bäume bogen sich im starken Wind. Als ob sie mit sich selbst ins Gebet ging, sprach die Stimme in ihr:

„So liebe Seele, nun bist du einen weiten Weg gekommen.
Du hast dir angeschaut, wie Wunschbabies zur Erde kommen, wie man mit Gedanken seine Welt neu formt, wie man Stress abbaut und den Körper entgiftet und sinnvoll ernährt.

Hast du dabei schon das gefunden, was **DEINS** ist?
Hat es bei dem ein oder anderen Thema gekribbelt und sich ganz vertraut in dir angefühlt?

Hat diese Reise vor allem eines mit dir gemacht: die Frage nach **DEINER Berufung** noch größer werden lassen?

Was ist meine Lebensaufgabe?

Nun begann der wichtigste Teil ihrer Reise. So viel Wissen lag hinter ihr und so viel wollte sie ganz verstehen. Mit geschwollener Brust betrat sie den Weg zum Strand.

„Ich bin bereit!", rief sie laut in den Meereswind.

Foto: Denise Kuchta

JYOTIMA FLAK Business-Mentorin, Speaker, Autorin

DER WEG ZUM LEUCHTTURM! MIT DEINER LEBENSAUFGABE EINZIGARTIG, SICHTBAR UND ERFOLGREICH SEIN

Der Sonnenaufgang

Sie war morgens ganz früh aufgestanden, Baggypants an und los. Der Weg schlängelte sich den Berg hoch. An der östlichsten Spitze Australiens folgte sie dem Schild zum Leuchtturm. Sie war seit drei Monaten erneut in Byron Bay. Es hatte sie noch einmal hierher gezogen. Als ob es hier noch etwas gab und es sie noch einmal gerufen hatte.

Das Dickicht öffnete sich und gab den Weg frei zum Leuchtturm:
Byron Bay Cape. Der östlichste Punkt der Ostküste. 16.000 Kilometer von ihrem Heimatort entfernt. So weit war sie gekommen.

„Komm nach Hause, du bist doch kein Hippie", sagte ihre Mutter immer am Telefon. Aber sie blieb, 11 Monate und 11 Tage, was für eine Zahl.

Und nun wollte sie den Sonnenaufgang am Leuchtturm sehen.
Und die Wale.

Sie lehnte sich an den Zaun und blickte über das Meer. Es wurde heller.
Unter ihr hörte sie das Meer und lautes Platschen.

Ein Wal war aufgetaucht. Und ein nächster.
Eine Walmutter mit ihrem Baby. Keine 30 Meter von ihr entfernt. Sie fischten dort an der Küste. Und es waren nicht nur die beiden, noch mehrere waren da.
Tränen schossen in ihre Augen: „Unglaublich!"

Baron hatte ihr gesagt: „Es bringt Glück, wenn du einen Wal siehst. Wünsch dir was." Sie wünschte sich etwas: „Ankommen bei mir. Das finden, was mich glücklich macht."

Die Sonne ging über dem Meer auf. Es war einer dieser unvergesslichen Momente ihres Lebens. Wie in Trance machte sie sich auf den Rückweg. Ihr Herz floss über.

SONNENUNTERGANG AUF DEM LEUCHTTURM

Die Seele war durch die verschiedenen Orte und Welten gewandert und hatte sich umgesehen. Alles war so spannend. Sie fühlte sich so bereichert von dem, was sie alles erlebt hatte und wem sie alles begegnet war. Sie fühlte sich reich an Wissen. Doch sie wusste, es war noch nicht das Ziel ihrer Reise erreicht.

Zum Leuchtturm! Sie hatte sich den Weg fest eingeprägt.

Nun war sie nur noch wenige Schritte entfernt. Sie spürte bereits den Seewind. Möwen flogen in der Luft. Ihre Haare wehten ihr ins Gesicht. Sie streifte sie weg und marschierte tapfer weiter.

Sie musste an dieses Event denken, bei dem sie eine Frau kennengelernt hatte: „Sei ein Leuchtturm, kein Teelicht!®" Diesen Satz würde sie nie wieder vergessen. Und das Lachen dieser Frau. Was für eine Ausstrahlung, als ob Liebe und Kraft aus jeder Pore ihres Körpers kamen.

Sie hatte ein Buch bei ihr gekauft, kurz den Vortrag angeschaut - eine berührende Story. Die Frau hatte den Job in einer der besten Werbeagenturen in Hamburg gekündigt und war einfach auf Reisen gegangen, ein Jahr nach Australien. Dort hatte sie nicht nur Backpacker und Kängurus gefunden, sondern auch ihre Berufung und ihre Gabe für Bewusstsein und Spiritualität. Nach der Reise änderte sie ihr Leben. Sie wurde Coach und später Business-Mentorin für Menschen, die mit ihrer Lebensaufgabe ein erfolgreiches Business aufbauen wollten. Kunden von ihr kamen auf die Bühne und erzählten begeistert von ihren Erlebnissen und was sich dadurch veränderte.

Irgendetwas hatte sie damals abgehalten, *Ja* dazu zu sagen, so ein Coaching zu machen. Jetzt war sie auf dem Weg zum Leuchtturm. „Wenn das mal kein Zufall ist", sprach die Seele.

Sie war nicht mehr dieselbe, seit sie vor einigen Monaten diesen Weg begonnen hatte. Sie fühlte sich so verändert. Ihr Herz hüpfte vor Freude: „Jetzt weiß ich, was

JyotiMa immer mit dem Ankommen meinte. Ich habe das Gefühl, ich komme an. Ich bin so aufgeregt."

Durch die Dünen folgte sie dem Weg. Strandhafer bog sich im Wind. Der Weg wurde mühsamer durch den Sand.
Sie grinste: „Der Leuchtturm. Da ist er!"

Die letzten Meter trennten sie vom Leuchtturm. Sie trat auf den Eingang zu und ging die ersten Stufen der Eisentreppe empor.
Die Tür ging auf.

„Da bist du endlich!" Sie kannte das Lachen. Die Frau von dem Event, JyotiMa, stand vor ihr. Oder war es doch jemand anderes? Die Umrisse verschwanden. Alles löste sich auf in Licht. „Komm mit rein und finde deine Berufung."

Sie gingen die Treppen hoch, die Wendeltreppe des Leuchtturms bis zur Spitze. Alles, was vorher war, trat in den Hintergrund. Sie hörte ihr eigenes Herz. Es schlug laut und darin hörte sie ihre eigene Stimme:

„Da bist du, du wundervolle Seele. Nun bist du auf dem Weg zu dir.
Lass alles hinter dir, was nicht DEINS ist.
Lass alles los, was dich trennt.

Tief in dir liegt der Plan für dein Leben, für deine Lebensaufgabe.

Dieser Seelenpfad ist viel direkter als das lange Ausprobieren und Suchen. Du brauchst dann niemals mehr zweifeln. Nimm meine Hand. Folge diesem Weg."

Wie berauscht kam sie oben an. Die Aussicht war so schön, es fielen ihr keine Worte dazu ein. Unter ihnen lag links der Strand und das Land, vor ihnen tat sich der Ozean auf. Es dämmerte bereits etwas und das Licht war so intensiv und das Leuchten des Ozeans so blau wie nie zuvor. Alle Farben waren noch intensiver.

Die blaue Stunde. Wenn das Licht der Sonne untergeht und der Rest der Welt noch erhellt ist. Was für ein Anblick!

„Schließe die Augen", sprach die Frau neben ihr. „Gehe in dein Herz. Gehe tiefer in das Licht hinein, das du in dir findest. Frage nach deiner Berufung. Frage immer wieder. Bis du Antwort bekommst. Teile dieses Wissen mit der Menschheit. Baue dir damit dein Herzensbusiness auf. Berühre Menschen. Hilf ihnen zu wachsen, ihre Verstrickungen zu lösen und sich selbst zu helfen. Es darf dir leicht fallen. Es darf leicht sein. Es darf aus deiner Freude entstehen. Und damit darfst du auch Geld verdienen. Da wartet deine Erfüllung. Geh durch die Tür. Lass alle Zweifel los. „Da ist sie." Und es floss...

(Verbinde dich tief mit deinem Herzen und trage hier deine Ergebnisse ein)

Das ist meine Berufung:

....

....

....

....

....

....

Das werde ich machen:

....

....

....

....

....

....

Damit berühre ich Menschen:

....

....

....

....

....

....

Das ist das Thema für mein Herzensbusiness:

....

....

....

....

....

....

Ich bin:

....

....

....

....

....

....

Das macht mich aus:

....

....

....

....

....

....

Das sind meine Werte:

....

....

....

....

....

....

....

Darüber werde ich gefunden:

....

....

....

....

....

....

Die Vision meines Herzensbusiness':

....

....

....

....

....

....

Meine Zielkunden und was sie bei mir suchen:

....

....

....

....

....

....

Das Resultat meiner Arbeit, meiner Dienstleistung:

....

....

....

....

....

....

Die Seele öffnete die Augen. Tränen in ihren Augen. Lachen im Gesicht. Wie Schuppen fiel es ihr von den Augen. Alles, was sie gerade gesehen hatte, machte perfekten Sinn.

Alles setzte sich zusammen wie Puzzleteile. Ihre Kindheit, ihre Reise, ihre Fähigkeiten.

Sie lachte laut in den Wind. Ihr Herz tanzte.

Sie sah ihre Vision von ihrem Business.

Sie sah die Menschen, die sie unterrichten und schulen würde. Sie sah ihre Bücher, ihre Events. Sie sah den Speaker, der mit ihr High Five machte.

Sie sah ihren eigenen Auftritt und wie die Menschen sie begrüßten und sich freuten, sie endlich einmal live zu sehen.

Sie sah, wie sie mit einzelnen Frauen arbeitete und mit vielen Menschen zusammen traf, um noch mehr in die Welt zu bringen.

Sie sah ihre Tochter und die Liebe, die sie verband.

Sie sah den ersten Onlinekurs, den ersten Auftritt und den allerersten 5stelligen Launch und wie von da an der Knoten platzte.

Sie sah ihren Weg und die Zukunft sich im Licht auflösen. Alles war eins.

Die Walmutter mit ihrem Baby am Byron Cape, ihre Wanderung mit staubigen roten Turnschuhen um den Uluru, barfuß im Wasser und in den letzten Wochen schwanger am Strand von Leblon (Rio de Janeiro), alles löste sich auf...

...und wurde zu einem Licht.

13 Das wars! Hol dir auch dieses Geschenk zur Geschichte ab: www.jyotimaflak.com/geschenke

Inzwischen war es Abend geworden und am Horizont sah sie Lichter auftauchen. Mehrere Leuchttürme begannen, ihr Licht zu verkünden. Auch der Leuchtturm, auf dem sie standen, begann mit einem tiefen Brummen, sein Licht strahlen zu lassen. Der Schein der Leuchtturmlampe traf auf ihren Brustkorb und brachte ihre Erkenntnisse noch mehr zum Kochen. Viele Leuchttürme blitzten nun gleichzeitig ihr Licht in den Ozean. Eines der weit entfernten Schiffe ließ das Horn erklingen.

Sie erinnerte sich an die Stationen, die sie auf ihrer Reise durchlaufen hatte. Die Therapeuten und Coaches, die sie beobachtet hatte mit ihren Themen. Und als ob alle gleichzeitig in ihrem Kopf präsent waren, blitzten die Leuchttürme wieder gleichmäßig in der Ferne.

Die Tränen liefen ihre Wangen hinab, als sie sich auf den Weg nach unten machten. Als sie am Beginn der Treppe ankam, war niemand mehr neben ihr. Der Leuchtturm schien leer.

„Hab ich das alles geträumt?"

Sie blickte an sich hinab und sah das Buch in ihrer Hand. Ihre Notizen, ihr Warum, ihre Erkenntnisse und als sie es umdrehte, stand dort:

Go! HERZENSBUSINESS

Folge mir auf den Leuchtturm in der Lighthouse Mindset-Meditation (Geschenk)

Hol dir die 365 Beitragsideen für dein Social-Media, die deine Follower zu Fans und zu Kunden machen: https://jyotimaflak.com/365beitragsideen

---

JyotiMa Flak (Speaker, Autorin, Mentorin und TikTok-Queen) macht Menschen zu Leuchttürmen. In ihrer Light-Leader Academy hilft sie Coaches & Therapeuten, ihre Lebensaufgabe zu finden, sich einzigartig und unverwechselbar zu positionieren und so sichtbar und erfolgreich zu werden. Sei ein Leuchtturm, kein Teelicht!®
www.jyotimaflak.com

NACHSPANN

Ich sitze an meinem Rechner und denke an all diese Lebensaufgaben, die ich mit meinen Kunden geborgen habe.

Stephanie in meinem Sessel. Ich führe sie in die Rückführung. Etwas verloren fühlt sie sich: „Ich muss auf einen Berg."
Ich helfe ihr, sich zurecht zu finden. In ihrer Akasha-Chronik* (*Buch des Lebens, Zugang über den Alpha-Zustand, Trance) soll sie heute in unserer ersten gemeinsamen Sitzung ihre Lebensaufgabe erfahren. Wir haben sechs Monate zusammen, um ihr Herzensbusiness auf die Erde zu bringen.

„Da sind ganz viele Leute, die auf mich warten, aber sie können mich nicht sehen. Ich muss auf den Berg", wiederholt Stephanie.
Sie geht auf den Berg und die Leute versammeln sich um sie herum.

3 Monate später hat Stephanie ihre Webseite fertig. 5 Monate später ist sie durch einen Kontakt von mir in der ersten Onlinekonferenz zu sehen. Mehrere Monate später spricht sie in riesigen Onlinekonferenzen und es werden immer mehr. Ihre Produkte verkaufen sich richtig gut. Die Leute sind begeistert.

Als Cornelia ihre Lebensaufgabe erfährt, rutscht ihr Energiekörper mehr auf die Erde. In der Rückführung sieht sie sich auf einer Bühne stehen und ihr Buch in den Händen halten. An diesem Buch schreibt sie gerade und wir machen den Weg zur Veröffentlichung möglich. 8 Monate später schickt sie es zum Verlag. „Wie war's in der Schule" ist ihr erstes Buch, mal schauen, was damit passiert. Wir schaffen noch so viel mehr in den 6 Monaten. Ihre Praxis verändert sich in Richtung online und wächst.

Sabine hat wie im Rausch ihre Texte runter gesprochen. Sie schlägt die Augen auf. „Ist das so stimmig?", fragt sie mich. „Na hör mal...", sage ich. „Es war grandios!"

Sie hat ihre ganzen Angebote und ersten Texte wörtlich in der Akasha Chronik runter gesprochen. Ich habe ihr den Raum gehalten und sie hat einfach nur diktiert. Positionierung glasklar und viel Arbeit erspart.

Und immer so weiter könnte ich erzählen. Was den Unterschied an dieser Arbeit macht, dass es danach keine beziehungsweise kaum noch Zweifel gibt: Das eigene Thema für das Herzensbusiness wird klar. Blockaden lösen sich auf. Von da an gibt es nur noch Umsetzung.

Aber auch die will natürlich gemacht sein.

Wenn ich zurückblicke, habe ich genau das immer gemacht: sofort Gelerntes umgesetzt und weitergemacht, auch wenn es mal nicht so gut lief.

Es wird nicht der erste Kurs oder Launch von dir klappen. Aber es macht Spaß weiterzugehen.

Wenn du zögerst, ob du deinen Weg in die Selbständigkeit gehen möchtest, frage dich, ob du der Typ dafür bist: für diszipliniertes Arbeiten, für Durststrecken überwinden, immer wieder Aufstehen können mit klarem Fokus auf dein Ziel.

Die Abkürzung kannst du selbst in deinem Herzen finden. Geh intuitiv immer dahin, wo die Freude auf dich wartet. Wo es sich nach Aufregung und spannendem Abenteuer anfühlt und dahin, wo du wächst.

Ähnlich wie in diesem Buch.

Du kannst aus allem ein Business machen. Lass es dein Thema aus deiner Lebensaufgabe sein. Glaube mir, ein Weg voller Freude und Erfüllung liegt vor dir!

HERZENSBIZ

Liebe dein Business wie die Mutter ihr Kind.
Habe Vertrauen und gib niemals auf.

Damla Krassowka

Vergleiche dich nicht mit anderen. Du bist einzigartig!

Andrea Knoll

Ich öffne in meinem Gegenüber Horizonte, die der Seele Ausblick und Freiheit schenken, während die Vergangenheit in ihrem Wirken nachlässt wie der Wind, der vom Sturm zum lauen Lüftchen wird.

Sascha Edelmann

DANKE!

Danke an alle Co-Autorinnen des Lighthouse-Clubs, die sofort begeistert waren, dieses Buch Wirklichkeit werden zu lassen. Danke an die 'Sei ein Leuchtturm! Community'-Mitglieder für ihre mutmachenden Sätze. Danke an Denise Schäricke für das Lektorat und Martina Schuster für die Hilfe am Titel. Danke für den Mut, meinen Job 2002 zu kündigen und etwas ganz Neues zu wagen. Danke für die Wale in Byron Bay und die vielen spirituellen Erfahrungen und Erlebnisse an Kraftplätzen der Erde, die mich zu dem Menschen gemacht habe, der ich jetzt bin. Danke für meine Tochter und die wundervollen Menschen in meiner Nähe, meine Familie und Freunde. Einige hatten nicht die Chance, ihre Berufung zu leben. Bitte lass es uns zusammen angehen!

Deine JyotiMa

Sei ein Leuchtturm, kein Teelicht!®
JyotiMa Flak, 1.12.2020

DER LIGHTHOUSE-CLUB

Hol dir nun die Geschenke ab, die die Autorinnen für dich vorbereitet haben:

www.jyotimaflak.com/geschenke

Hier erhältst du wertvolle Übungen, Meditationen und zusätzliche Tools zu den Kapiteln – so können dich die Autorinnen noch ein Stück weiter begleiten.

Hat das Buch dir gefallen? Dann hinterlasse eine Rezension bei Amazon. YEAH! Wenn nicht, verschenke das Buch an jemanden, der seine Berufung sucht. Danke!

Der *Lighthouse-Club* ist die Akademie zum Onlinebusiness-Aufbau, die ich im Mai 2020 gestartet habe, um mehr Selbstständigen den Weg zur Sichtbarkeit zu erleichtern. Was daraus für eine Dynamik entstanden ist, siehst du z.B. am Resultat dieses Buches. Wenn du mehr darüber wissen willst, abonniere die Lighthouse-Inspiration auf meiner Seite und verfolge die aktuellen Kurse unter:

www.jyotimaflak.com
www.facebook.com/jyotimaflakcom
www.instagram.com/jyotima.flak

Nun viel Erfolg auf deinem Weg: #goherzensbusiness

Printed in Great Britain
by Amazon

53236807R00097